Minha Querida Inês

Da Autora:

Margarida Rebelo Pinto

A autora agradece o apoio concedido pela

CITROËN DS4

© Margarida Rebelo Pinto, 2011
Direitos para esta edição:
Clube do Autor, S. A.
Avenida António Augusto de Aguiar, 108 - 6.º
1050-019 Lisboa, Portugal
Tel.: 21 414 93 00 / Fax: 21 414 17 21
info@clubedoautor.pt

Título: *Minha Querida Inês*
Autor: Margarida Rebelo Pinto
Revisão: Henrique Tavares e Castro
Paginação: Maria João Gomes,
em caracteres Revival e Euphemia
Impressão: Rolo & Filhos II, S.A. (Portugal)

ISBN: 978-989-8452-75-7
Depósito legal: 335161/11
1.ª edição: Novembro de 2011

www.clubedoautor.pt

Aos meus pais, que me ensinaram a nunca desistir.

Ao Lourenço,
para que nunca se esqueça do que os avós ensinaram.

A mulher está muito perto da Natureza;
há nela os mesmos encantos e os mesmos perigos.

Agostinho da Silva, *Sete Cartas a um Jovem Filósofo*

D. INÊS DE CASTRO

Vivia-se um tempo de sombras, de medos e de uma incerteza tão grande como o tamanho do primeiro monstro que podia saltar do desconhecido. A floresta era a única paisagem constante. Era desse mundo fechado, escuro e oculto para a maioria, que chegava o alimento da imaginação. Tudo podia acontecer. E se havia um só Deus que olhava do alto para todos os gestos, também o vazio das respostas enchia os castelos, os mosteiros, as igrejas e as barracas de madeira que se erguiam em volta. Portugal tinha-se tornado independente há apenas dois séculos. Os caminhos eram longos, cheios de perigos, e cruzados apenas por aqueles que podiam impor-se pela violência, quase sempre a cavalo. O resto era gente que vivia a vida inteira num raio de poucos quilómetros e alguns aventureiros de burro que chegavam de fora e traziam tudo o que era novo. Reis e senhores disputavam territórios num ambiente de intriga constante, usando e abusando da sua condição superior. Grandes excessos eram cometidos. Mas era sobretudo um mundo de regras rígidas e bem conhecidas. Regras que, ao serem quebradas, faziam vibrar o mundo com o estrondo. E foi então que esta história aconteceu.

CONVENTO DE SANTA CLARA

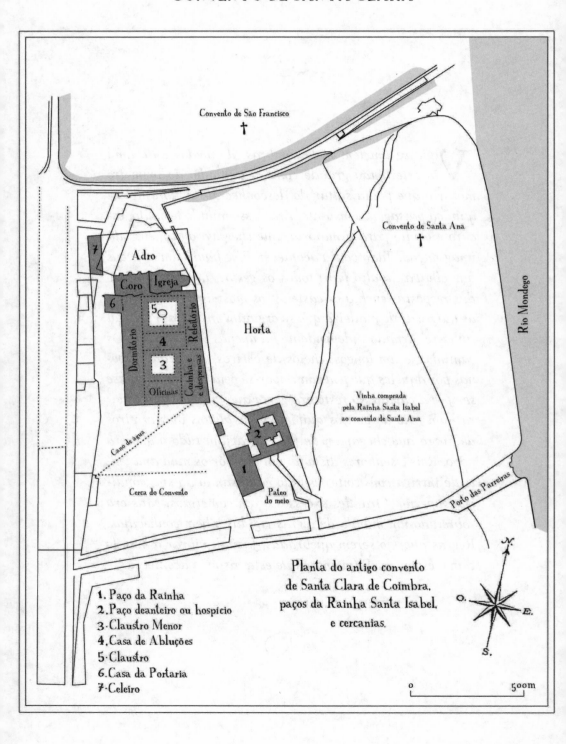

Convento de São Francisco ✝

Convento de Santa Ana ✝

Rio Mondego

Adro

Coro Igreja

7

6

Dormitório

5 Refeitório

4 Cozinha e despensas

3

Oficinas

Horta

Cano de água

Vinha comprada
pela Rainha Santa Isabel
ao convento de Santa Ana

2

1

Cerca do Convento

Pateo
do meio

Porto das Parreiras

1. Paço da Rainha
2. Paço deanteiro ou hospício
3. Claustro Menor
4. Casa de Abluções
5. Claustro
6. Casa da Portaria
7. Celeiro

Planta do antigo convento
de Santa Clara de Coimbra,
paços da Rainha Santa Isabel,
e cercanias.

N
O. E.
S.

0   500m

1.º Dia
1 de Janeiro de 1355

Em quem pensar, agora, senão em ti? Tu, que
me esvaziaste de coisas incertas, e trouxeste a
manhã da minha noite.

Nuno Júdice, *Pedro, lembrando Inês*

Frio, vazio, medo e silêncio. Depois, nem frio, nem medo. Na verdade não sinto nada. A minha alma está livre e voa para outro lugar. Vejo o Paço lá em baixo, a horta, o convento, o hospital, os verdes campos de Coimbra, o rio Mondego, as colinas de oliveiras e a Fonte dos Amores longe, cada vez mais longe. Para onde me leva o meu sonho? Já não sou Inês de Castro, já não sou nada. E, no entanto, sinto que sou tudo e que sou livre.

Acordo de repente, mexo-me no catre e procuro o corpo de Pedro a meu lado, como faço todas as manhãs antes do meu despertar, naquela vigília em que só a alma nos guia, entre o sono e o mundo. Há vários dias que partiu com seus homens, depois da Consoada, e só Deus sabe quando volta, mas o meu corpo procura-o sempre e o meu coração teima em vê-lo, mesmo quando não está a meu lado.

Sinto o mundo quieto. A luz nítida da matina que passa através das janelas e atravessa o intervalo das cortinas grossas de veludo diz-me que o dia hoje amanheceu limpo e sossegado.

A tempestade de ontem amainou, mas com tanta chuva de-certo que as águas do Mondego subiram durante a noite. As monjas temem que um dia o rio galgue de novo os muros e inunde o convento, como aconteceu há mais de vinte anos anos, na primeira grande cheia, quando a obra da construção ainda nem sequer estava terminada. Se tal desgraça suceder, morre-rei também, levada pela fúria da águas, pois o Paço da Rainha, que é agora a nossa morada, foi erguido a poucos passos do rio.

Como é frágil e inconstante a nossa existência! Ainda há pouco, quando o Outono começou a mudar a cor das folhas nos choupos, Pedro e eu passeávamos sem medo e cavalgáva-mos pelas encostas que agora avisto, sentada nas namoradeiras, enquanto anseio pelo seu regresso. Desde que o meu amado partiu, evito sair do Paço. Faço apenas o mesmo caminho que a rainha D. Isabel usava para ir à igreja onde vou rezar, logo ao raiar da matina. Depois visito o hospital e as mulheres que ali vivem, auxiliando-as no que posso, levando-lhes vinho, comi-da e às vezes roupas. Mudo as ligaduras a Guiomar, a velha en-ferma desdentada que se amedronta com todas as presenças terrenas e que dizem ter enlouquecido quando os filhos lhe morreram de peste há sete anos, em 1348, em consequência do segundo grande surto de bubónica que assolou o território e ceifou tantos inocentes que lhe chamaram o Segundo Di-lúvio. Nesse mesmo ano, também de peste, morreu Leonor, irmã mais nova do meu amado, deixando os reis de Portugal, que tiveram sete filhos, apenas com dois, o meu amado Pedro e Maria, cuja vida nunca foi de sorte nem de alegrias.

Guiomar, que o povo alcunhou de *Possessa*, tem uma his-tória triste e desgraçada, comum a tantas outras mulheres do povo. Nunca se lhe conheceram os pais e por isso foi criada por vizinhos e gente de bem que lhe dava comida, roupas e abrigo. Assim que o seu corpo ganhou algum peso, embora fosse ainda uma criança, fez-se mulher de mau viver, uma dessas almas perdidas que entregam o corpo a qualquer homem a troco de dinheiros. Um boieiro galego que chegara há pouco tempo ao burgo quedou-se de amores por ela e, sem se importar com a sua condição, quis desposá-la. Guiomar nem sequer lhe tinha gosto ou amizade, pois ele era gordo, desdentado, sebento e maninho. E também já era velho, mas quando uma mulher se dá aos homens a troco de dinheiros sabe que a desonra lhe fica marcada na pele. Voltar à condição de donzela casadoira é quase um milagre, por isso casou com o velho, e, para espanto do burgo, fez-se uma mulher séria e honrada.

Os anos passavam e Guiomar era feliz, recebendo a cada ano que passava um filho, que ela e o marido viam como uma dádiva de Deus. Mas o mesmo Deus que lhe emprestara uma ilusão de felicidade, impiedoso com os pecadores, não lhe deu descanso depois da redenção e levou-lhe os quatro filhos no tempo de uma lua.

Dizem que quando o último dos quatro, ainda criança de colo, lhe morreu nos braços, ensandeceu de imediato, cega de raiva e de rancor por todos os que sobreviveram. Não mais se levantou do catre, contorcendo-se e gemendo como uma condenada, até que, numa noite de lua cheia, tentou matar o marido com uma adaga, enquanto espumava pela boca. Este, transido de medo, rogou à abadessa do convento que a internasse no hospital fundado pela rainha D. Isabel.

Talvez Guiomar esteja louca, mas deixa que eu cuide dela. A minha presença acalma-a, chama-me O Anjo do Futuro, vá-se lá saber porquê. Enquanto a ajudo a lavar-se, solta ladainhas intrincadas que misturam a sua vida com a de outras mulheres, como um livro que foi colado de vários, cada página sendo uma história diferente da anterior. Às vezes chora e vêm-me as lágrimas aos olhos por piedade, pois também sou mãe de quatro filhos e, infelizmente, como tantas mulheres que deram à luz, conheço a dor infinita quando um dos nossos anjos é chamado pelo Senhor antes do tempo.

Guiomar é uma entre muitas mulheres que o hospital recolheu. Conhece-lhe todos os recantos e sabe a história de todas as mulheres que aqui vivem, bem como daquelas que já partiram deste mundo.

O Paço Derradeiro onde vivo — assim chamado por se situar atrás do Paço Dianteiro, que a rainha quis que fosse erguido como hospital para recolher pobres para quem a vida foi madrasta — é pequeno, mas para nós chega, pois nele sempre fui muito feliz. Foi aqui que a minha querida Beatriz nasceu e foi aqui que a baptizámos.

Tenho saudades dos tempos que passámos no Paço da Serra, esse lugar mágico entre a serra da Pescaria e o porto da Atouguia da Baleia. Lá, sentia-me livre e sem receio de nada. Pedro e eu éramos mais jovens e por isso alheados do mundo que nos rodeava; vivíamos um para o outro, despreocupados e destemidos, num tempo perfeito que não mais voltará.

É Pedro quem mais gosta de aqui viver. Diz que estas terras estão impregnadas do espírito da avó, sepultada no convento, e que aqui ninguém me pode fazer mal. Mas sempre que Pedro viaja sinto um aperto no peito, como se o fim estivesse próximo. Um sobressalto permanente que me seca as palmas das mãos e a garganta assola-me agora mais vezes do que a minha valentia tolera. Deve ser a isto que o mundo chama medo.

As mulheres destas paragens ensaiam comigo uma cortesia forçada, mais por temor a Pedro do que por qualquer outro motivo. Ninguém se atreve a falar, mas eu sei que para elas é um sacrilégio acolher a amásia do infante sob o mesmo tecto em que a rainha D. Isabel viveu os últimos anos, mergulhada na paz que dizem vir da beatitude, submissa a Deus e despojada de todos os luxos, como uma boa clarissa.

As monjas, apenas as vejo quando, seguindo a tradição da fundadora, lhes vou servir almoço ao refeitório. Também a rainha Brites, mãe de Pedro, já o fez, ao lado de sua sogra, a rainha D. Isabel que Deus tem, e a abadessa assim o decidiu, a meu favor, concedendo-me tamanha honra.

A abadessa D. Isabel de Cardona, sobrinha bastarda da fundadora e protegida desta, é uma mulher já envelhecida, e, no entanto, preservada pelo poder da bem-aventurança. Gosto do seu olhar sereno, da sua voz de comando subtil, das suas mãos que encontram no terço a força necessária para comandar este pequeno mundo. Toca-me o coração de mãe ao ver o carinho com que trata os meus filhos e a simplicidade com que se dirige a mim. Sinto que me estima e me protege, embora seja parca em palavras, recolhendo-se a diário em silenciosas conversas com o Criador, ajoelhada junto ao altar, como é prática entre as religiosas. Parece não ter medo de nada, talvez porque está acima de todos os homens que conheço. Nem mesmo o meu senhor, que todos temem pelo carácter imprevisível e colérico, a faz tremer ou baixar a cabeça. Gosto dela e sinto que no fundo do seu pio coração me acolhe como uma alma de bem, ainda que, no seu entender, a paixão a que me entrego não seja uma forma pura de amor. É decerto mais sábia e infinitamente mais generosa do que eu, que não consigo entender estas mulheres.

Como me são estranhas aquelas que entregam o corpo e a alma ao Criador! A sua castidade como prova de amor a Deus não lhes permite entenderem o que é a minha existência de mãe e de escrava do meu senhor vivo, embora ele nunca me tenha visto como tal e sempre tenha dito que é ele o meu súbdito, o servo do meu coração. Mas o que podem entender as monjas do verdadeiro amor, se a carne dos seus corpos está seca em nome de um Deus invisível que nunca as poderá abraçar? Vivem adormecidas no intuito cego de salvar a sua alma, dia após dia, ano após ano, sem honrar aquilo que entendo ser para uma mulher a sua missão neste mundo, a de amar e de procriar para deixar também ela um legado. Foi para isto que me educaram, assim que despontei como mulher, a minha missão sempre foi servir a Pedro, o meu senhor, do mesmo modo que as monjas servem a Deus, dia após dia, ano após ano, rezando e ajudando os pobres, tal como a fundadora desta ordem. Entendo a devoção da rainha D. Isabel, que dedicou a sua vida a praticar o bem, pacificando o reino pelo menos duas vezes, uma após a morte de D. Dinis, quando o seu filho legítimo, Afonso, entrou em conflito com o bastardo Afonso Sanches, e depois, já no fim da sua vida, quando abandonou o convento de Santa Clara e percorreu o reino na sua mula até Estremoz, para tentar a paz entre o seu filho e D. Afonso de Castela, vindo a padecer nessa mesma cidade pouco tempo depois.

A rainha D. Isabel foi um anjo do Bem. Acolheu órfãos, resgatou mulheres de má vida, fundou hospitais para os pobres como os que visito no Paço Dianteiro, cumprindo o seu dever de rainha como talvez nenhuma outra o venha a fazer tão bem neste reino, feito de homens rudes e de mulheres suaves de modos e fortes de carácter. Mas, quando o fez, já dera descendência ao reino, a sua função de mulher estava cumprida, por isso tenho em grande respeito a sua obra e a sua memória, bem diferente da estranheza que sinto por estas mulheres às quais mal vejo o rosto por razão de clausura, para quem a carne que as mantém vivas não lhes serve para nada.

Como pode uma mulher sentir-se completa a feliz sem usufruir do prazer que o seu corpo lhe dá? Há mistérios da fé que nunca conseguirei entender, por mais que me esforce, e este é um deles.

Hoje cedo, mal o sol se levantou, a abadessa ordenou que se reunissem todos os que aqui vivem nas casas do convento para a celebração da missa do primeiro dia do ano, dia de S. Silvestre. Levantei-me sem custo do meu catre, já que as noites sem Pedro são passadas numa vigília de ânsia e de espera na qual o sono profundo não tem lugar. O meu corpo está treinado para esta solidão povoada de memórias e de sonhos, por isso consigo descansar nela, pois é nela que o meu mundo desperta e se agita, e também é nela que encontro a paz necessária para enfrentar os horrores do mundo. Recusei-me a acordar os meus filhos que dormiam como anjos; está muito frio, a geada cobre os telhados e as árvores do burgo, não quero que se resfriem. Deus certamente não irá castigar almas tão puras por não O visitarem em Sua casa.

A pedido do meu querido Pedro, a missa de Ano Novo foi celebrada por sua graça D. Álvaro Gonçalves Pereira, que veio propositadamente do Crato para este acto solene. D. Álvaro, prior da Ordem do Hospital, é valido de el-rei e bom amigo de Pedro, homem valente e de boa estirpe, filho de D. Gonçalo Pereira, arcebispo de Braga, um dos grandes heróis da batalha do Salado.

D. Álvaro celebrou a missa para as gentes do povo que lhe vieram prestar homenagem. Consegui manter a minha presença discreta atrás de uma coluna da igreja, logo à esquerda do pórtico de entrada, envergando o meu vestido preto mais simples e escondendo os meus cabelos loiros numa coifa de veludo azul-escuro. Nem por uma vez desviei o meu olhar do altar, rezando pela saúde do meu senhor e dos nossos queridos filhos, mas também para que o povo não desse por mim, e só voltei a respirar fundo no fim da cerimónia, quando saí em direcção ao Paço sem ninguém ter dado pela minha presença. Para o meu sossego também contribuiu a protecção de Teresa Galega, a minha querida aia, que foi à frente e escolheu os nossos lugares.

Já vínhamos quase a chegar ao Paço Derradeiro quando ouvimos o barulho de passos apressados no nosso encalço. Assustada, virei-me e vi um rapaz macilento, vestido ainda com os paramentos da cerimónia da missa, que balbuciou:

— Senhora, a abadessa mandou-me chamar-vos. Assunto da maior importância, o prior deseja falar-vos.

Teresa ofereceu-se para me acompanhar, mas logo adivinhei que a conversa não pedia testemunhas, por isso regressei apressadamente ao largo da igreja onde a abadessa, com o seu olhar penetrante, me conduziu à sala da portaria exterior. Quando lhe perguntei a razão de tal encontro, ela esquivou-se a dar uma explicação, informando-me apenas que D. Álvaro pedira autorização para falar comigo logo após a missa. Ela concordara, pareceu-me, a contragosto.

O prior do Hospital já me esperava na portaria acanhada de tectos baixos para onde a abadessa me encaminhou com os seus passos firmes e decididos, deixando-nos a sós. Depois de me cumprimentar de forma respeitosa e de me pedir que me sentasse num dos dois bancos que mobilam a pequena portaria, verificou se o ferrolho interior estava corrido e fechou ligeiramente as portadas interiores da janela para maior discrição, embora eu sentisse olhares invisíveis e ouvidos curiosos por todos os cantos.

— D. Inês, preciso falar-vos de um assunto delicado — anunciou o bom homem de Deus. Sempre gostei dele e Pedro também. Diz o meu senhor que D. Álvaro também tem coração de homem, não vivendo apenas cego por Deus, tendo já dado a este mundo tantos filhos que ninguém os consegue contar. O meu amo acredita que ele entende os caminhos do coração e que com ele estou sempre segura, pois dele já ouviu bons conselhos, embora depois tenha feito tudo como quis e quase nada como lhe recomendaram.

— Senhor, estou aqui para vos escutar.

— O assunto que vos trago é delicado e muito sério, D. Inês. El-rei D. Afonso anda sobressaltado, parece que os ventos da guerra se estão a levantar no espírito de seu filho. O que tendes a dizer-me sobre isto?

— Não sei de que falais, senhor.

— Não tendes notícias de vossos irmãos? Sabeis porventura onde podem encontrar-se agora?

— Desde que D. Pedro partiu, não mais soube deles. Durante a Primavera e o Verão recebi-os amiúde no Paço, até porque meu senhor lhes doou várias terras aqui na região à volta de Coimbra. Mas há muitos dias que não sei do seu paradeiro. Há algum tempo, demasiado para mim, posso dizer-lhe, não tenho novas nem de meus irmãos, nem de meu senhor. E só Deus sabe quanto sofro e me atormento sempre que ele se ausenta.

— Mas estais a par que D. Pedro anda em montada com D. Álvaro e D. Fernando por esse Portugal fora? E que os três planeiam fazer guerra a Pedro de Castela, neto de el-rei D. Afonso?

— De nada sei, senhor. Só sei que Pedro partiu há mais de sete dias e que prometeu voltar em breve. Sei que não me queria sozinha, por isso ficou de me enviar guarda por entre os seus homens de mão, mas até agora não chegou ninguém...

— Acredito que sabeis mais do que me estais revelando, senhora. E o que me dizeis das relações entre vossos irmãos e Henrique de Trastâmara, o bastardo que quer o trono de Castela? Porventura estais a par que vossos irmãos e esse bastardo são aliados?

— O mesmo vos respondo, senhor. Não conheço os pensamentos de meus irmãos, bem sabeis que os assuntos de guerra não nos cabem a nós, mulheres.

— Disseste a palavra guerra, senhora. Será que vós sabereis algo que não me quereis revelar?

O homem olha-me como uma ave de rapina que fixa a presa do alto antes de se lançar sobre ela em voo picado e letal. Começo a sentir-me coagida por ele e sobe-me o medo às faces, outra vez o medo, esse monstro de mil cabeças e sem coração.

Instintivamente, levo a mão ao pulso para agarrar com firmeza o amuleto que Pedro me deu, a figa de azeviche que me protege do mau-olhado, procurando nele alguma força para responder. Não posso calar-me agora, não posso deixar-me vencer pelo medo, por isso respondo:

— Porque haveria eu de vos esconder algo, senhor? Pois não vos disse já que esses assuntos nunca foram discutidos na minha presença?

O silêncio por parte do prior dá-me o fôlego necessário para o confrontar, por isso arrisco-me um pouco mais:

— E não tendes vindo vós aqui a mando de el-rei para me espiar, e depois voltar à corte e prestar-lhe informações, traindo D. Pedro e a mim?

Estivéramos até àquele momento sentados frente a frente. Perante a minha resposta provocadora em tom de pergunta, D. Álvaro levanta-se e começa a caminhar em roda do meu assento, sem conseguir disfarçar a sua inquietação.

— O que dizeis, senhora? Pois não sabeis que, embora seja fiel a D. Afonso, é a vosso amo que devoto a minha preocupação e protecção? Ou estais esquecida de que meu querido e falecido pai também participou na educação de Pedro, com o mesmo amor que se dá a um filho, e sempre o aconselhou com a prudência que ilumina os homens, quando o que mais desejam é proteger aqueles que amam? Não duvideis da minha lealdade, pois sinto vossa dúvida como um insulto à minha pessoa e à minha família.

Se está a falar verdade, e consigo ler no seu coração que está, talvez não me deseje mal. É possível que, por amor ao meu senhor, também ele me queira proteger, bem como aos meus filhos. Tenho de manter a calma.

— Desculpai-me, senhor, mas sei de tudo o que dizem de mim nas cortes. Todos me julgam por algo que não sou. Sei que D. Pedro teme em casar-se comigo, pois não duvida do que seu pai é capaz, ainda mais depois do Papa ter recusado a dispensa que autorizaria o nosso enlace. É verdade que há vários anos vivo com ele em mancebia como uma vulgar amásia, sem a bênção de Nosso Senhor Jesus Cristo, e que tal ousadia representa uma afronta para o rei e para o povo. Todos me vêem com maus olhos, mas vós sois testemunha do quanto o nosso amor é forte e puro. Desde ainda menina e donzela que o amo, tantos anos esperei para poder estar a seu lado, dei-lhe três filhos saudáveis, dois dos quais varões, e espero um dia…

Calei-me a tempo, mas não o suficiente, porque o homem adivinhou o fim da minha frase. Ó meu Deus, porque falei tanto? E porque disse tais disparates? Estou perdida.

— Esperais um dia, íeis dizendo…

— Espero um dia que todos estes mal-entendidos se desfaçam, vossa senhoria.

O prior fita-me mansamente. Não acredita numa só palavra do que acabei de dizer, embora não tenha coragem para me confrontar. Atira o corpo de novo para o assento de madeira e couro num gesto de abandono. A missão que lhe destinaram para o dia de hoje parece-lhe porventura agora mais difícil do que cuidara.

É sempre difícil para os homens entenderem o pensamento de uma mulher, talvez por isso desconfie tanto das minhas palavras, embora eu acredite que o seu coração lhe diz que estou a falar verdade. Mentir a tão alto representante de Deus seria pecado tão grande como mentir a Nosso Senhor Jesus Cristo. Sinto-o revolto e inquieto, muito mais do que aparenta.

D. Álvaro muda de táctica e decide então desviar a conversa para outro assunto.

— El-rei teme pela vida do pequeno infante D. Fernando, senhora.

— Porquê? Não está o varão de meu senhor protegido todos os dias a todas as horas?

— Mas se ele morrer, por linhagem, serão os vossos filhos os mais fortes candidatos ao trono de Portugal...

Afinal, até nos homens bons a malícia existe. E mesmo nos mais corajosos medra o espírito da intriga. Não existem homens bons nem homens puros. A pureza não é terrena, só se encontra nos anjos e nas crianças, que não são mais do que anjos na terra, e que a perdem assim que são obrigados a enfrentar a maldade do mundo. Este homem afinal é tão perigoso como qualquer outro, vou fingir que não dou tino do que me está a querer dizer.

— Sabeis que o infante ama o seu primogénito e vê nele o futuro do reino. De que falais, então?

— De vossos irmãos, senhora. El-rei teme que eles tenham em mãos um plano para matar o pequeno D. Fernando.

As insinuações da raposa deixam-me fora de mim, por isso respondo com o meu coração a arder de orgulho, o orgulho dos Castro.

— Isso é ignóbil, os meus irmãos são cavaleiros bravos e justos! Como ousais com vossas palavras insultar homens cuja linhagem e conduta deviam estar acima desse tipo de intrigas infundadas? Estais esquecido de que somos descendentes de meu digno pai, D. Pedro Fernández de Castro, senhor de Lemos, que acrescentou ao seu escudo de armas a valentia, pois ficou conhecido como O *da Guerra*? E não sabeis que meu avô Fernando Rodríguez de Castro sempre serviu a corte portuguesa, sendo amigo e valido de el-rei D. Dinis? E que este lhe concedeu terras entre Douro e Minho, por feitos a favor de Portugal? Meus irmãos honram o sangue que lhes corre nas veias, senhor, eles nunca seriam capazes de tal vilania. A fazer guerra, asseguro-vos que a fariam de espada em punho, e não com golpes de traição vil e mesquinha, usando manhas de mulheres e de cobardes como o veneno!

— Admitis então que pode vir a haver uma guerra, senhora? E porque falais de veneno? São palavras vossas, não minhas…

Meu Deus, como sou tola e imprudente! Mais uma vez fui traída pela minha língua desatada. Já em criança padecia deste defeito; falava sem pensar, não media o que dizia e por vezes ia longe demais, deixando, sem habilidade nem estratégia, que as minhas próprias palavras se virassem contra mim.

— Nada disso, senhor. O que gostaria que vossa senhoria entendesse é que meus irmãos nunca cometeriam acto tão vergonhoso. E o facto de serem guerreiros de natureza não quer dizer que estejam agora a preparar uma guerra.

E, para que não lhe restassem dúvidas, usei a melhor arma que uma mulher possui, além dos seus encantos físicos e dotes de alcova: a fragilidade e o temor a Deus. Peguei-lhe nas mãos, senti os nós dos seus dedos grossos e a pele ressequida, olhei-o nos olhos e disse, devagar e em voz baixa, porém firme:

— Senhor, juro-vos pela saúde dos meus filhos e pela minha própria vida que nada sei do que hoje aqui me falastes. Posso assegurar-vos que D. Pedro, meu amantíssimo senhor, em ocasião alguma falou em fazer guerra com Castela, pelo menos na minha presença. Por favor, acreditai em mim, senhor, falo-vos com o coração nas mãos, nada tenho a esconder, nem de vós, nem de Deus.

O prior da Ordem do Hospital agarrou as minhas mãos finas e brancas por entre as suas e viu nos meus olhos que eu falava verdade.

— Tendes razão, senhora. Desculpai-me por vos enfrentar desta forma, mas atravessamos tempos difíceis, de peste e de traição. O mundo está infestado de forças do Mal, só a fé no Altíssimo nos pode salvar.

Uma sombra escura e medonha toldou o seu olhar cansado. Apertou com mais força entre as suas, as minhas mãos franzinas, respirou fundo e, fitando a minha alma frágil, inquiriu-me pela derradeira vez:

— Tendes a certeza de que o infante não anda a conspirar com vossos irmãos contra Castela? Não posso partir sem respostas, sob pena de pôr vossa vida em perigo…

Respondi com o silêncio, petrificada por um terror súbito e descontrolado, sem conseguir articular uma palavra, limitando-me a abanar a cabeça devagar, em sinal de negação.

— Nesse caso, confio em vós e na vossa palavra. Porém, não vos posso garantir que el-rei e os seus homens acreditem em vós como eu acredito.

E, sem me dar tempo para lhe responder, partiu de cabeça baixa, derrotado por não ter novas, mas aliviado também por as não ter. Oxalá tão nobre alma consiga levar ao monarca a minha inocência, pois é também disso que depende a minha vida.

Como poderia o rei pensar que eu sabia de alguma conspiração? Sou apenas uma mulher, por Deus! Tive a sorte de aprender a ler e a escrever, graças ao bom coração de D. João Manuel, nobre e poderoso senhor das terras da Galiza, que me criou como se fosse do seu sangue, sem fazer distinção entre mim e a sua querida filha Constança, depois da morte de minha querida mãe, era eu ainda uma criança. Serei certamente uma dama mais letrada e instruída do que muitas rainhas, mas isso não faz de mim uma alma pérfida e jogadora. Tudo o que ambiciono está a poucos passos desta portaria, no quarto contíguo ao meu: o sono puro e sereno de meus três filhos, a sua alegria e a sua saúde. Eles são a minha vida, nada mais me interessa. Eles e meu amo e senhor, que tanto tarda em voltar.

Por onde andas, meu amor maior? Porque me tens aqui cativa neste lugar onde a culpa e os fantasmas me perseguem? Quero de novo sentar-me junto da Fonte Nova, ouvir as águas que nela correm cantando o nosso amor a uma só voz, esconder-me deste mundo horrível e carrasco que teima em ver-me como uma maldição, esquecer-me de tanta perfídia e de toda a maldade que nos cerca e ser tua mais uma vez; sentir os teus dedos pelo meu corpo ainda fresco, saborear a força dos teus pulsos guerreiros em volta da minha cintura que a maternidade não roubou, respirar o teu ar enquanto encostas a tua cara nos meus cabelos loiros que tanto amas, sentir-te todo dentro de mim como um caudal de paixão e de força que nunca se cansa nem morre, na esperança de me dares ainda mais filhos saudáveis como os que Deus nos enviou. Perder-me nesse prazer indizível que o mundo só concede às meretrizes e às mulheres condenadas, fechar os olhos para te ver melhor, e à tua volta, como sinais do Divino, descobrir novas estrelas, brilhos funestos e cintilantes, e sentir no fundo mais fundo da minha alma que sou tua, que te pertenço íntegra e inteira, que este amor é tão forte, tão belo e tão certo que nem toda a malícia do mundo pode destruir. Onde estás, senhor absoluto da minha vida e da minha morte?

Espero por ti a cada instante, sonho contigo acordada, vejo-te nos traços dos nossos filhos, pois estais em toda a parte e tudo sois para mim. Por isso te peço, por tudo o que há de mais sagrado nas nossas vidas, pelo nosso amor e pela saúde dos nossos filhos, que voltes depressa, meu amor maior, antes que os ventos da desgraça que hoje se anunciaram irrompam pelas portas da minha morada para me ceifar da terra e entregar a minha alma perdida de dor e de desespero ao Criador.

E agora que novas darei a el-rei D. Afonso? O meu coração diz-me que D. Inês não me mentiu. E, no entanto... no entanto, nunca se sabe o que se passa na cabeça de uma mulher.

D. Inês de Castro é bela e astuta, mais do que é comum entre as mulheres. Foi dama instruída desde muito nova, tanto em prendas como no pensamento. Recebeu esmerada educação de dois grandes mestres. O primeiro foi D. João Manuel, filho do infante Manuel, senhor de Escalona e Peñafiel, homem sábio, poeta e guerreiro poderoso, de grande estirpe, coragem e fibra. O poder deste grande senhor também lhe veio do casamento com D. Constança, filha de D. Jaime II, rei de Aragão. Inês foi por eles criada após a morte de sua mãe, a par com a filha, Constança Manuel, de quem Inês foi aia e a quem traiu com o infante.

O seu segundo mestre e porventura o mais influente foi uma mulher, a sua tia, D. Teresa Martins, condessa de Albuquerque, viúva de Afonso Sanches, o filho ilegítimo preferido de D. Dinis, que a criou e mais tarde a acolheu no seu castelo, onde terá conhecido o infante D. Pedro.

Não fosse a preferência doentia de D. Dinis pelo seu bastardo, em desfavor do legítimo rei de Portugal, que sulcou no coração do senhor meu rei uma ferida que nunca fechou, e não estaríamos agora em tão grandes cuidados. O terror de el-rei D. Afonso pela bastardia na linhagem de seu filho Pedro começou bem antes, quando teve de lutar contra os meios- -irmãos para ganhar o reino, depois da sua morte.

Assim são os desígnios de Deus; ao dar a um homem o poder, o talento e a sabedoria para governar durante 46 anos, também lhe deu as fraquezas do prazer e das carnes fáceis, para que povoasse o seu reino de bastardia ambiciosa. Foi este o destino de D. Dinis; enquanto fortaleceu o reino com gestos de estadista, semeou ilegítimos mais do que a moral recomenda. Primeiro, nasceu D. Pedro, conde de Barcelos, filho de Dona Grácia, e depois Afonso Sanches, filho de Dona Aldonça Rodrigues Telha.

A estes dois espúrios seguiram-se mais quatro, mas foi Afonso Sanches, por parecenças com o pai, que desde muito cedo se tornou o seu preferido, em detrimento do legítimo Afonso, nosso rei.

D. Dinis, devoto ao santo do mesmo nome, fundou a igreja de S. Dinis de Odivelas, onde foi a sepultar. A igreja servia, entre outros intentos, para albergar mulheres por quem o rei tinha interesses, pelo menos é o que se diz entre as gentes. É a voz do povo, trocista e maliciosa, que põe na boca da rainha D. Isabel palavras dirigidas a seu marido com a superioridade da santa alma que habitava em seu ser; ide vê-las, ide vê-las, dizia-lhe a rainha, como se não se ofendesse com os vícios do seu rei. Lenda ou verdade, pouco importa, o que é mister nesta intriga é dar a ver a leviandade do rei por oposição à virtude da sua esposa.

Pobre rainha D. Isabel de Aragão, senhora de tanta nobreza e generosidade que o tempo, com toda a sua sabedoria, decerto elevará a santa, distinguindo-a de todas as outras mulheres do reino. Daqui a pouco dias, ao sétimo dia de Janeiro, fará trinta anos que el-rei D. Dinis partiu deste mundo, deixando o reino a seu filho, a quem sirvo com fervor, seguindo os passos de meu pai, Gonçalo Pereira, que sempre serviu com honra e dignidade o reino de Portugal.

O povo é injusto para com o seu rei, depressa esqueceu o quanto ele lutou para preservar o reino, quer contra os bastardos de seu pai, quer contra os seus vizinhos.

Por duas vezes Afonso de Portugal entrou em guerra por questões dinásticas; a primeira, em 1319, contra seu pai porque D. Dinis queria favorecer Afonso Sanches, e a segunda há trinta anos, em 1325, contra este, depois da morte de D. Dinis.

Como são estranhos os desígnios de Deus, fazendo acontecer nas mesma datas feitos, nascimentos ou mortes que mudaram o rumo da nossa história! É que, estou agora a pensar, curiosamente, é nesse mesmo ano que nasceu Inês de Castro, cinco anos mais nova que Pedro, filha de uma dos mais poderosos senhores da Galiza, valido e amigo de D. Dinis.

Contudo, é na teia complexa em que se foram emaranhando os destinos de Portugal, Castela, Leão e Aragão que reside o maior perigo para o nosso reino.

D. Dinis casou sua filha Constança com D. Fernando de Castela. Por sua vez, a nossa rainha D. Brites é irmã de D. Fernando de Castela. Casar princesas portuguesas com herdeiros de Castela tem sido uma das políticas do reino de Portugal, mas nem sempre com os resultados mais desejados.

O reino vizinho sempre representou uma ameaça para Portugal, por ser tão mais vasto e poderoso, mas também por parir soberanos déspotas, cruéis e imorais. D. Afonso de Castela, apesar de ser filho de uma princesa portuguesa e neto de D. Dinis, nunca largou as canelas do nosso reino, brincando ao gato e ao rato com o seu tio, nosso rei, sempre que disso tirava proveito. E foi apenas graças à paciência

infinita e à astúcia incansável do nosso monarca que al-
cançámos a paz com esse doido. Ao sacrificar a sua filha
Maria, oferecendo-a como esposa a Afonso de Castela, que
era seu sobrinho, el-rei sabia que este não iria fazer guerra
contra Portugal. Aliás, foi esse mesmo o argumento que o
rei usou para nem sequer pedir dispensa ao Papa João XXII;
em vez disso, enviou um pedido de desculpas depois da
consumação, alegando que a união representava uma aliança pacífica entre os Reinos para melhor se defenderem dos
mouros.

O que sucedeu, porém, ninguém de senso ou juízo poderia adivinhar: o monarca castelhano perdeu o tino e dei-
xou-se enfeitiçar por Leonor Núñez de Guzmán, a quem fez
inúmeros bastardos. Exilou a infanta Maria em Sevilha, já
de esperanças de Pedro, esse rapaz estouvado e mimado,
criado por João Afonso de Albuquerque como um filho querido, e que é agora o rei de Castela. E são os filhos dessa
maldita meretriz sem vergonha, Leonor de Guzmán, Henrique
de Trastâmara e Fradique, mestre da Ordem de Santiago,
que têm por ofício meterem-se como ratos nos caminhos do
poder, que querem destronar Pedro, quem sabe, em conspiração com os Castro.

São as mulheres, quase sempre as mulheres, quem provoca as maiores desgraças no poder. Os homens perdem o
senso e a razão na alcova de uma mulher que conheça as
manhas da carne. Ficam como cordeiros indefesos, prontos para serem mortos pelos seus pares. Veja-se o infante
D. Pedro, que a todos assusta, e, no entanto, é Inês quem
o domina. Inês, com os seus longos cabelos loiros, o seu

peito cheio, as suas ancas ligeiras e afoitas, o seu olhar de cordeiro de Deus que esconde a força e o poder de uma serpente, porventura a mesma serpente com que Eva entrou em conluio para perverter Adão. Inês, com o seu pescoço longo e altivo, com o seu colo de garça, ao mesmo tempo um pássaro, um anjo, uma serpente e um demónio.

Não nos podemos esquecer de que o povo é sábio, para eles uma garça também é uma meretriz. É assim que o povo vê a ruça galega, como lhe chamam, e ela sabe-o melhor que ninguém. Ela sabe que o povo a detesta, porque o povo respeita o rei, embora se esqueça depressa dos seus feitos heróicos. A batalha do Salado já lá vai, as vitórias mais difíceis são as que mais depressa se esquecem. As gentes mergulham no presente e deixam-se ir pela vida, com a mesma impunidade com que correm céleres as águas do Mondego que agora atravesso para norte, a caminho de Montemor, onde el-rei me espera.

A batalha do Salado, na qual o meu nobre pai combateu ao lado de nobres e valentes homens, foi o castigo que Deus impôs à soberba do rei castelhano. Depois de ter desprezado sua mulher Maria, filha do rei de Portugal, com o desterro em Sevilha, foi obrigado a pedir ajuda a este para combater a mourama. E se não fôssemos nós, portugueses, a ajudá-lo, o monarca castelhano teria sucumbido, bem como todo o seu reino, às mãos dos infiéis.

Faz-me falta o meu querido pai, a sua sabedoria e a sua visão dos factos. Há dez anos que partiu e todos os dias penso nele e rezo para que a sua alma encontre a paz eterna no Reino dos Céus, onde merece estar ao lado de

Nosso Senhor Jesus Cristo. Meu honrado pai! A sua vida de guerreiro está coroada de êxitos para o reino de Portugal, já que também foi ele que em tempos encabeçou a luta contra Afonso de Castela, repelindo o exército castelhano do Norte do reino com a força e a coragem de mil e quatrocentos homens. Este e outros actos de bravura fizeram com que a sua memória seja para sempre respeitada, e se obtive honras maiores ao longo da minha vida, também a ele o devo, por ser seu filho.

Ergo os meus olhos cansados para a via celeste e rezo em silêncio, montado no meu cavalo, escoltado pelos meus dois escudeiros, Paio e Martinho. O caminho não é longo, o frio cortante de Janeiro traz aos caminhos uma luz clara e límpida. Chegarei a Montemor antes de anoitecer, durante a jornada tenho tempo para pensar no que vou falar ao meu amado rei.

Que direi eu a meu senhor? Talvez tenha falhado de novo, como quando fui ao Paço da Serra na Atouguia da Baleia, já lá vão alguns anos, falar com o infante, a demandas do rei, para que este se casasse com outra princesa, pouco tempo depois do nascimento do pequeno João.

Nesse tempo el-rei ainda cuidava que o devaneio de Pedro por Inês não estava selado pela teia fatal dos amores maiores. Enganou-se. O infante ofendeu-se com o meu recado, mandou-me embora e desiludi o rei por não ter cumprido a minha missão.

Hoje acredito que o infante D. Pedro, por amor a Inês, nunca lhe tenha confidenciado a razão da minha visita às terras da Atouguia da Baleia, e se soube guardar segredo,

37

tanto melhor, a sua atitude revela que até os mais loucos têm momentos de sensatez. Não me apercebi pelo semblante de Inês que ela estivesse a par da minha visita anterior, noutro tempo e noutro lugar, da mesma forma que não vi a chama da traição brilhar em seus olhos. É apenas uma mulher muito bela, talvez demasiado bela para este mundo. Entendo a insânia do infante por ela, porque sendo homem, conheço bem o poder das carnes femininas, nas quais me deixo mergulhar sempre que a ocasião se me oferece. Porém, o meu amor a Deus é maior, herdei essa vocação de meu pai que me fez jurar em tenra idade, quando me armou escudeiro, que nunca me deixaria cair nas manhas de uma mulher. E talvez seja por isso que já tive várias, e que de todas me encantei, dando ao mundo mais filhos do que muitos homens, sem que a nenhuma delas entregasse a minha alma para nunca deixar de ser dono e senhor do meu destino.

A desgraça espreita quase sempre escondida nos braços de uma mulher. Ainda mais se for bela, inteligente, culta e ambiciosa, como é Inês, desde cedo educada para servir os interesses dos seus irmãos sem escrúpulos, prontos a sacrificar tudo para alcançar o que desejam. O que esses dois cães, Álvaro e Fernando, querem é poder, não só no reino de Portugal, como no de Castela. Não lhes chega todas as terras e honrarias que o infante já lhes concedeu; a ambição é cega e surda, não ouve a razão nem tem olhos para a humildade. É neles que reside o fio da maldade e da soberba com que enfeitiçam o infante. E o poder, essa força tão perigosa quanto o amor, é usado através de Inês, que tem tanto de ingénua como de culpada, pois não é possível que uma mulher inteligente como ela não se aperceba de que os seus irmãos a usam para maquinar junto de Pedro os seus planos desmesurados e perigosos para o reino de Portugal.

O poder é como uma peçonha, ainda mais perigosa do que o desejo, porque o desejo mata-se com o prazer, mas nada mata o poder; é como um cão esfomeado que nunca se cansa de comer, um bêbado que já só vive para o seu vício. E um homem de bem não tem vícios. Pode ter prazeres, mas não pode ter vícios, ou os vícios tomarão conta dele.

O vício do infante é esta mulher. Bela, angelical, frágil, de voz suave e olhos claros, que dá vontade de proteger. Inês e os seus três filhos bastardos e saudáveis, João, que já caça com o pai, Dinis, e a pequena Beatriz. Os netos que a rainha visita e protege às escondidas do rei. Os netos que estão em linha de sucessão se uma desgraça cair sobre o pequeno e débil Fernando, talvez tuberculoso, pois diz-se que foi de tuberculose que D. Constança Manuel morreu e não de peste, nem de perdas de sangue e de outras maleitas causadas pelo parto.

O pequeno infante Fernando, herdeiro legítimo do trono de Portugal é um rapazinho franzino e encolhido, de jeito mavioso parecido com o de sua falecida mãe, má cor de pele e tosse persistente, sinal de pouca rijeza. A rainha D. Brites, sua avó, que não o larga por um instante, já o levou a conhecer os meios-irmãos, filhos de Pedro. É a rainha, a par com Inês, uma das poucas pessoas com alguma influência junto de Pedro.

Estou em crer, conhecendo a índole sensata da senhora minha rainha, que esta não leva amiúde o pequeno Fernando de visita ao Paço de Santa Clara apenas para que ele brinque com os seus irmãos, mas com o intuito de que Pedro o veja e se afeiçoe ele. É uma dama sábia, aprendeu na melhor escola de mulheres de virtude do mundo, a escola de sua sogra, Isabel de Aragão. Ela entende que a forma mais eficaz de manter o reino em paz é cultivar os afectos e o amor entre os seus, ainda que para isso desautorize o rei e lhe desobedeça.

O rei não sabe das visitas de sua esposa a Coimbra. Acredita que quando a rainha se desloca à cidade é para rezar na igreja do convento das Clarissas onde a querida mãe do rei está sepultada. Ou talvez o rei de tudo seja informado e, na sua velhice astuta e cansada, finja que não vê, por pensar ser melhor agir assim.

El-rei D. Afonso está cansado de viver, mas ainda não está cansado de reinar. Há trinta anos que reina, já resistiu a quase tudo: batalhas, tremores de terra, surtos de peste, tentativas de invasão de território. Pois não há-de o meu senhor agora resistir a uma galega ambiciosa que roubou o coração e a razão do seu filho?

Estou tão certo quanto o ano ter quatro estações e doze meses que el-rei vai encontrar uma solução, porque tanto em cortes como nas ruas se levantam as vozes para acabar de vez com esta pouca vergonha e cortar o mal pela raiz. D. Afonso sabe que o povo detesta a ruça e o rei preza e ouve a vontade das suas gentes. E também sabe que os irmãos de Inês se fizeram de seu filho mui amigos para melhor concertarem seus intentos junto do infante. Porém, aquilo que põe el-rei em dobrados cuidados é a existência dos bastardos, pois estes são e serão sempre uma ameaça para o infante Fernando.

El-rei pouco fala de seu filho, por certo tolhido pela vergonha de suas falhas, mas conhece-o bem. Sabe que ele é tonto, dando mais concerto a folguedos e a montarias do que aos assuntos de Estado, e por isso também sabe que só pode contar com os seus homens para que o reino de Portugal não caia nas mãos dos vizinhos.

Estes e outros pensamentos se vão ordenando em meu espírito, enquanto paro na minha jornada junto a um ribeiro para dar de beber às bestas. A minha montada é um puro-
-sangue árabe comprado a um mercador mouro em troca de uma vara de porcos, mas as de meus escudeiros são fracas e estão famintas, mal aguentam um galope e por isso temos de lhe dar descanso. Paio pergunta-me se podemos assentar arraiais e assar um coelho que entretanto apanhou. Os meus homens estão cansados e esfomeados, mas não ousam protestar quando lhes ordeno que regressem às suas montadas, pois o sol já se encontra na sua viagem descendente para o horizonte e consigo prever que se irá pôr sobre as colinas em menos de uma missa. Ainda estamos a mais de três léguas e a noite esconde mil perigos. Quero alcançar Montemor quanto antes, falar com o rei e seus homens de bem, e só então descansar.

O maior problema do senhor meu rei não é a ignorância dos factos ou conhecer destes apenas uma parte. O grande oficio que agora se lhe apresenta é o de saber tudo e ainda não ter decidido o que vai fazer. É a dúvida que o consome. Por um lado, todos o aconselhamos a afastar a Castro, mas, por outro, embora não o admita, el-rei gosta de Inês, pois também não resistia aos seus encantos quando não era ainda certo que fosse amante de Pedro.

Inês enfeitiçava os homens e mulheres da corte como um animal exótico, e nem o rei escapava a tal poder. Até a própria Constança, mulher legítima de Pedro, confiava nela! Só o tempo e a desvergonha cada vez maior de Pedro revelaram a verdade; a bela Inês, aia predilecta de Constança, criada como irmã desta e sua melhor amiga e mais próxima confidente, era afinal não apenas a favorita do marido desta, como a sua amante e dona do seu coração.

Mulheres, mulheres, porque quis Deus que tais seres vivessem na terra? É certo que são elas que nos trazem ao mundo, é do seu leite que nos alimentamos e sem elas não existiríamos, mas porque pôs Deus em tais criaturas poderes tão obscuros e vis, capazes de aniquilar os homens mais fortes e os reinos mais poderosos?

E, no entanto, quase nunca são elas as culpadas; por detrás das suas manhas há homens ambiciosos e pérfidos que não olham a meios para alcançar os fins que almejam. Pais, irmãos, primos, tutores, tios. Homens que preferem usar o corpo de mulheres em vez da espada; que escolhem o caminho mais tortuoso e mais traiçoeiro; homens que não merecem ser assim chamados, que se comportam como alcoviteiras, celestinas, mulheres mundanais, que traficam carne humana ao serviço dos seus interesses.

Os Castro são feitos desta massa infame, não o podia dizer perante D. Inês, nem sequer posso usar da verdade junto de D. Pedro, que os protege e neles confia, mas é esta a grande desgraça que envenena a paz do reino e deixa o nosso rei inquieto. São eles que alimentam o pensar do infante de planos vis e duvidosos, a par com João Afonso de Albuquerque que Pedro de Castela logrou envenenar depois deste o ter traído. Ainda há pouco tempo tentaram convencer D. Pedro a fazer guerra a Castela, por este ser neto de Sancho IV, pai da nossa rainha D. Brites. Quem foi que mediou os encontros secretos entre as diferentes interessados, em Elvas e em Badajoz? E quem teve como parte de emissário ao infante português deste pacto arquitectado por João Afonso de Albuquerque e Henrique da Trastâmara? Álvaro Pérez de Castro, pois então!

Não fora a intervenção pronta de nosso rei e a de D. Maria, mãe de D. Pedro de Castela e irmã de D. Pedro de Portugal, rogando a este que não fizesse guerra ao seu próprio sobrinho, e nestes dias o nosso reino estaria perdido no desgoverno que se espalha como a peste para lá das nossas ainda ténues fronteiras.

Depois de tão funesto episódio, el-rei Afonso e todos os seus homens de bem, nos quais me incluo, entenderam que a paz de Portugal, conquistada com tanto suor e esforço e consolidada por aquele que é o sétimo rei de Portugal, corria de novo perigo, e que daquela gente só poderiam vir tormentas e desgraças.

É certo que D. Pedro de Castela é o grande obreiro do caos que nos espera: primeiro, provocou a ira dos vizinhos franceses ao repudiar Branca de Bourbon em favor da amante María de Padilla, cujo ventre fértil não cessa de lhe dar filhos. E depois, não satisfeito com as suas acções, casou com Joana de Castro, que também repudiou pouco

43

tempo depois de a emprenhar, exaltando a sanha dos Castro. E estes, matreiros e manhosos, fazendo-se de ofendidos, logo aproveitam o desconcerto do rei de Castela para se juntarem ao partido de D. Branca, do qual também fazem parte Henrique e Fradique, bem como os infantes de Aragão, Fernando e Juan, e ainda a mãe destes, D. Leonor de Castela, viúva do rei aragonês.

Por causa do repúdio de D. Pedro de Castela por D. Branca, a França entrou em guerra com os nossos vizinhos. E nestes tempos de más colheitas, de fome e de peste, a loucura de Pedro de Castela em confronto com a ambição dos Castro, que manipulam a mente fraca do nosso infante, pode con-duzir-nos à desgraça.

Os ventos da guerra sopram cada vez mais fortes entre os reinos da península e todos os outros que se situam para lá da cordilheira montanhosa que separa a península da Bretanha e temo que tal conflito se arraste durante déca-das, quem sabe, um século ou mais. O reino de Portugal é pequeno de mais para se envolver em tais querelas.

Se Inês sabe ou não o que se passa, se participa na in-fluência que os irmãos têm sobre Pedro, isso agora pouco importa. Portugal corre perigos de vária ordem e, por algum lado, el-rei terá de começar para que a ordem regresse ao seu reino.

Talvez Inês esteja inocente, mas os seus irmãos certa-mente não estão. E se tiver de ser, que pague o inocente pelo pecador e que se faça a vontade de Deus Nosso Senhor.

2.º Dia

Então não tem lugar certo onde aguardo
Amor; trata traições, que não confia
Nem dos seus. Que farei quando tudo arde?

Sá de Miranda, *Cancioneiro Geral de Garcia*
de Resende

Pairam nuvens sobre o rio na matina gelada e cinzenta, triste augúrio de que ainda não é hoje que Pedro regressa. Assim que desperto, sinto no ar o odor do meu senhor impregnado nas fronhas do nosso catre; o ninho perfeito onde Pedro e eu nos amamos todas as noites sempre que estamos juntos, lugar abençoado pela graça de Deus onde a pequena Beatriz foi concebida numa noite de lua cheia.

Acordo um pouco indisposta e lembro-me de que as regras estão em atraso há uma lua. Será que o meu ventre carrega já outro filho de Pedro?

Esta noite consegui finalmente dormir algumas horas seguidas em paz, embalada por tantas e tão belas recordações que a minha alcova me traz, enquanto encontrava o meu senhor nessa outra vida que são os sonhos.

É em sonhos que a rainha D. Isabel me aparece a fazer perguntas e a pedir-me que me case com o neto, e eu tento explicar-lhe que Pedro não quer, para não ameaçar a legítima e justa descendência do pequeno Fernando, e que é meu dever respeitar a vontade do meu senhor. Também é em sonhos que o meu amado primogénito Afonso, que Deus levou para junto Dele com poucos dias de vida, me aparece envolto num manto de paz. A Eternidade, com toda a sua sabedoria, transformou-o num anjo do Bem. Afonso fala-me na língua dos sonhos que o meu espírito entende e assegura-me que os seus irmãos, João, Dinis e Beatriz estão protegidos pela Divina Providência e que não devo apoquentar-me com o destino que os espera. Diz-me também que o infante Fernando, de saúde frágil e fraca compleição, nunca quererá mal a seus meios-irmãos, ao contrário do avô, que sempre odiou os bastardos de seu pai.

Afonso, o meu anjo perdido, vive agora no Paraíso onde passeia de mãos dadas com a avó, que o acarinha e mima como sempre fez em vida com as crianças, os velhos, as mulheres de má vida, os mendigos e os proscritos. Foi ela, com toda a sua generosidade e grandeza, que fundou o hospital contíguo ao Paço para albergar almas a quem a vida na terra foi tão madrasta, quinze velhos e quinze mulheres idosas, separados por uma capela comum. Esta foi a última de tantas obras edificadas por sua ordem, que fez de Portugal um reino do Bem, e é por isso que Pedro, o rei, a rainha, toda a corte e o povo a veneram. Acredito que um dia será santa e que, como todos os santos, viverá a eternidade na paz dos céus e o seu nome será para sempre celebrado na terra, com o reconhecimento dos homens e a concordância de Deus.

E foi mais uma vez em sonhos que encontrei o meu senhor que há tantos dias não vejo, desde uma manhã fria de Dezembro em que partiu com os meus irmãos e o seu séquito. Falámos, ou melhor, vi-o e tentei falar-lhe, mas o meu amado parecia não me ouvir. Abraçava-me e dançávamos juntos sob as abóbadas de um castelo que não conheço, eu já era rainha e a coroa pesava-me na fronte. Sentia-me feliz, mas cada vez que tentava conversar com ele, dizia *mais logo, minha querida Inês*, e afastava-se para se sentar à mesa, rodeado de homens, com os seus cães preferidos aos pés, *Baleia*, um sabujo malhado de orelhas compridas, meigo e de boa índole, e *Touro*, um mastim napolitano de pêlo negro, caçador feroz de olhos faiscantes que nunca me lambeu as mãos.

À sua direita estava sentado o meu irmão Álvaro, à sua esquerda o meu outro irmão, Fernando, e de ambos os lados nobres cavaleiros do seu séquito. Eu fitava-o de longe, procurando prender seu olhar no meu, mas Pedro parecia já não me ver. Era como se eu não estivesse ali, por isso recuei, sentindo-me vazia e abandonada, sem no entanto sair da alcáçova, até porque Afonso Madeira, seu mais fiel escudeiro, também ali se encontrava, sentado numa das pontas da mesa, com a sua *vilhuela* de arco em punho, pronto para oferecer a meu senhor trovas de amor e de amigo, que tanto lhe agradam. Juntamente com o escudeiro, os seus homens de confiança: João Afonso Telo de Menezes, alferes-mor, seu amigo do coração e conselheiro mais próximo, Gonçalo Lobato, seu reposteiro-mor, Lopo Fernandes Pacheco, seu mordomo-mor, filho do *Monstro* que me detesta, e ainda Domingos Anes, seu guarda fiel. Debaixo da mesa vigiavam os dois cães que nunca o largam e que dormem aos pés da nossa cama sob a palha fresca, sempre que Pedro está comigo.

Os homens de Pedro tratam-me com respeito, mas sei muito bem quais, no momento da verdade, levantariam a espada para me proteger, e quais poderiam empunhá-la para me matar. Domingos Anes é-me fiel, disso tenho a certeza, do mesmo modo que posso jurar que Lopo Fernandes Pacheco não tem por mim nenhuma consideração, certamente por influência de seu pai, que também aparece no sonho, espiando-me de uma galeria como um fantasma do Mal. Quanto ao alferes-mor, diz-me a minha intuição que também não posso confiar nele. Sempre me tratou com desvelo e simpatia, mas a forma como olha para Pedro... E porque é que Pedro, tão avesso a premiar aqueles que o servem, velou a este armas de cavaleiro?

Porém, não é João Afonso Telo de Menezes que me incomoda, mas Afonso Madeira quem mais atormenta o meu coração, pela sua brandura, qualidade que nas mulheres é um atributo de bom carácter, mas que nos homens é quase sempre sinal de ausência do mesmo. Foi o meu querido tutor, D. João Manuel, que me ensinou que, pior do que um homem com mau carácter, é um homem que simplesmente não o tem, pois é por falta dele que se cometem as maiores atrocidades.

Como é estranho e pérfido este escudeiro de feições efeminadas que o meu senhor teima em proteger! Dizem que cavalga com bravura e peleja com mestria, mas os seus cabelos longos e lisos são brilhantes como os de uma dama de corte, e o seu nariz pequeno revela uma personalidade dócil e obediente. É como um cão, o meu senhor tem-no tão bem amestrado que nem de corda ao pescoço precisa. A pobre alma vive suspirando pelo seu dono sem o menor laivo de dignidade. É certo que se trata apenas de um escudeiro, mas até a rainha Brites comentou, nos tempos em que convivíamos sob a mesma alcáçova em Lisboa, no castelo de S. Jorge, quando eu era ainda uma das aias de Constança, que aquele jovem representava um embaraço para a corte e um perigo para o seu filho.

Lembro-me de el-rei o detestar, como detesta todos aqueles que conquistam o coração de Pedro, já que ele, enquanto seu pai, nunca foi capaz de tal proeza, talvez porque o seu próprio pai, D. Dinis, nunca o amou como amou o ilegítimo D. Afonso Sanches. Há dores que nunca se esquecem, feridas que nunca se fecham, e eu vejo o coração do rei destroçado pela preferência do pai por outro filho, o que lhe criou uma dor tão profunda e permanente que nem todo o amor de sua santa mãe e da devota rainha conseguiriam apaziguar. Isso explica que pai e filho sejam como dois estranhos que o destino nunca conseguirá unir, embora o sangue bélico que lhes corre nas veias seja o mesmo.

Afonso Madeira é uma criatura menor e manhosa cuja presença nunca tolerei, apesar de Pedro me jurar que com ele nunca teve mais do que momentos de camaradagem e de folguedo entre machos. Ora, tal descrição das coisas é vaga e imprecisa para uma mulher ciumenta e astuta como eu. Vejo com os meus olhos e sinto com o meu coração que esse criado com boca de botão de rosa e olhar subserviente e oblíquo sempre amou o meu senhor de forma mais intensa e desavergonhada do que se espera de um escudeiro. É certo que não lhe falta a lealdade cega própria da sua condição, mas, por Deus, há limites para tudo e ele há muito que os ultrapassou.

Quando cheguei a Lisboa com Constança, logo correram rumores entre as aias da corte de que o escudeiro do infante possuía encantos secretos, decerto mais atraentes do que algumas damas já por ele desbravadas. É próprio de um infante saudável e fogoso espalhar a virilidade a seu bel-prazer, mas daí até se fechar com um escudeiro nos seus aposentos para que este lhe cante *longas* e cantigas de amor pela noite adentro, ao som da lira e da *vilhuela* de arco, leva-me a crer que senhor e servo se aventuravam em outros jogos, decerto mais carnais e menos inocentes, por detrás daquelas portas que mais ninguém ousava atravessar. E como eu já amava Pedro com todo o meu ser, embora escondesse do mundo tal pecado por respeito ao rei e lealdade a Constança, o meu ódio por aquele escudeiro desde logo me pesou no peito como uma cruz, para nunca mais me deixar respirar em paz, apesar da paixão que Pedro mostrava por mim a cada noite que passávamos sob o mesmo tecto.

Pouco tempo depois, o rei expulsou-me da corte e o meu desgosto em abandonar o mesmo chão que Pedro pisava foi tão grande que me esqueci da existência do verme em forma de ser humano que me provocava ainda mais ciúmes do que os que sentia ao imaginar Pedro com Constança.

Passei dois longos anos em Albuquerque, onde já vivera em menina, à espera das visitas secretas do meu amado. A minha vida por um fio, como agora, como sempre, marcada pelo destino que Pedro me escreveu. E quando Constança morreu, pouco tempo depois do nascimento do pequeno Fernando — ninguém sabe se por causa de todo o sangue que perdeu quando deu à luz, se de peste, ou se o seu coração sofrido e partido não aguentou —, e Pedro me fez regressar para junto dele, com grande indignação do rei e consternação da rainha, lá estava ele, manso e dócil, sempre de roda de nós, a bajular-me, por adivinhar o poder que o meu amor tinha sobre o infante.

Mas não era o único. O mesmo se dizia de um outro seu criado, Fernão Martins de Santarém, e de outros escudeiros que sempre o acompanharam. O vício da luxúria no meu senhor é uma herança do avô, D. Dinis. El-rei nunca foi assim, diz-se nas cortes que nunca um monarca português foi tão fiel à sua rainha como D. Afonso. Mas quis Deus que o seu único filho varão que logrou chegar à idade adulta fosse dado a excessos e destemperos.

Durante muito tempo recusei-me a dar ouvidos a tais rumores, mas o meu coração de galega não me deixava sossegada. E se fosse verdade? E se o meu amor maior tivesse outros gostos, inclinações desconhecidas a que a fúria da carne pode levar? Todos lhe chamam louco furioso nas suas costas, todos sem excepção temem o seu temperamento intempestivo e imprevisível. Os físicos da corte tentam explicar a sua gaguez através de outras maleitas; a personalidade insone, os ataques de loucura inesperados que lhe sacodem o corpo e o fazem espumar pela boca, a vontade descontrolada de se misturar por entre as gentes e de bailar nas ruas pela noite dentro, tudo isto deixa o rei desesperado, por reconhecer no filho rebelde traços de carácter que sempre abominou no seu pai.

D. Dinis era dado ao folguedo e a mulheres, protegia os seus bastardos com o beneplácito da rainha, que os acolhia debaixo do seu tecto sem orgulho nem o menor sinal de humilhação, e agora todos sabemos no que isso deu. Mas D. Isabel acreditava que o Bem sempre vence e foi através do Bem que se realizou como rainha, ajudando o seu povo, como mãe, acolhendo bastardos e também D. Brites, que tratou como filha ainda em criança e a qual ainda hoje em tudo a tenta imitar.

Em Portugal só houve uma rainha assim e até ao fim dos dias deste reino só existirá uma, D. Isabel. A sua grandeza e a sua luz puseram fim a duas guerras e, quando partiu deste mundo, o reino era um lugar melhor.

Este Paço que Pedro escolheu para nossa morada foi uma das suas últimas obras. É uma morada acolhedora, com janelas e namoradeiras amplas para as quais mandei coser coxins de veludo carmim forrados a penas de pato e onde gosto de passar algumas horas do dia a bordar, a ler ou a conversar com Teresa Galega, a minha única amiga desde que perdi a amizade de Constança.

O Paço tem lareiras nas zonas de estar e nas principais câmaras, com chaminés em todos os aposentos, por isso os meus filhos nunca passam frio. Tem pouca mobília porque a rainha D. Isabel nunca foi dada a luxos, mas temos tocheiros em todas as paredes, bons colchões de penas de pato, e não faltam tapetes, colchas e almocelas de lã de ovelha para nos aquecermos nos dias mais frios. Todas as janelas do Paço, mesmo as mais pequenas, têm um ferrolho forte e uma pesada trave de ferro a toda a largura, bem como a porta de entrada, por isso sinto-me segura se estiver tudo fechado. Não queria uma casa maior, é bom viver num tecto onde oiço sempre a voz dos meus filhos. Pedro e eu não precisamos de ostentação, na verdade só precisamos que nos deixem em paz.

O que pensaria D. Isabel de tudo isto se ainda fosse viva? Como reagiria uma alma tão devota a Cristo ao ver o seu neto vivendo com uma galega há quase dez anos, mergulhado no pecado, sem a bênção de Deus? E como posso eu pedir a Deus que me ajude se vivo contra os Seus princípios mais sagrados?

Cometi o pecado da impureza ao entregar-me a Pedro ainda donzela, e depois os da mentira e da traição quando Constança era ainda viva. Atrevi-me a desafiar o rei e a sua moral. O povo odeia-me, chama-me intriguista e barregã. Não tenho ninguém do meu lado, a não ser o meu senhor, os meus filhos e a minha querida aia Teresa. Mas o meu senhor teima em não voltar, os meus filhos são ainda crianças e Teresa é apenas uma mulher, por isso não tenho nenhuma protecção.

E há ainda esse verme de feições de cera que acabou de se fazer anunciar e que diz vir da parte de Pedro. O escudeiro-cão, o servo dobrado ao meio, essa ovelha maviosa e sedutora que se desfaz em *longas* e em cantigas para agradar a todos sem critério. Um falso, um bajulador, é o que ele é, um miserável.

É a minha aia Teresa que o anuncia, diz que ele bateu à porta a pedir gasalhado. Traz novas do meu senhor e que por isso pede que o receba. Mando os meus filhos para outra sala, não quero que ele pense que tem sequer o direito de pousar os seus olhos sujos nos meus anjos, de brincar com eles, de lhes cantar trovas, de os enfeitiçar com a sua voz aflautada e melodiosa. Com os seus modos delicados e o seu timbre canoro, depressa conquistaria os seus coraçõezinhos frágeis e inocentes. É meu dever de mãe protegê-los de todos os males do mundo, pelo menos enquanto for viva.

Teresa leva-os sem resistência, eles gostam dela e sinto que a minha aia também tem por eles benquerença, como se filhos dela fossem. Como eu gostaria de lhe encontrar um homem que a amasse como Pedro me ama, que dela cuidasse e fosse dela mui amigo, tal como o infante é comigo! Várias vezes já lhe revelei o meu desejo e o meu cuidado com o futuro que

Deus lhe reserva e só Ele conhece. Mas Teresa, serena e sábia, responde que o amor é como a morte, não escolhe quem colhe e quem deixa de fora na sua ceifa cega, e que o apego que me tem e que sente pelos petizes já lhe enche o coração de alegria e de gratidão.

Nunca a vi olhar para um homem, embora a sua beleza não seja de desprezar. Mas Teresa é feita de outra massa, não sofre com a fúria carnal como eu, não precisa de se entregar a um homem para não enlouquecer. Ela vive no sossego daqueles que esperam tão pouco da vida, que tudo o que dela recebem se transforma em dádiva.

O que será desta minha fiel aia se um dia a maldade me levar deste mundo? Quem velará por ela e pelos meus queridos filhos?

É com estes pensamentos terríveis que recebo o cão. Vem sujo e cansado, as vestes manchadas e encardidas, o cabelo em desalinho. Olho-o com desprezo e altivez assim que entra na sala, e ele, intuitivo como todos os homens que se dão a outros homens, passa as mãos pelo cabelo, desculpando-se:

— Perdoai-me, nobre senhora, mas há três dias que cavalgo sem parar por ordem de vosso amado infante. Estou faminto e exausto, pois apenas pernoitei nas matas durante as horas mais escuras da noite para chegar a vós o mais rápido possível.

— E o que vos traz aqui, escudeiro?

— Não podereis chamar-me simplesmente Afonso, senhora, tal como vosso infante me chama?

Ainda agora chegou e já me está a lançar o isco, o grande filho de uma porca. Vou fingir que não ouvi. Não se pode dar confiança aos vassalos que nos bajulam; não são como pessoas de família, ao contrário dos criados: vendem-se barato e podem, de um momento para ao outro, levantar um punhal e atraiçoar-nos pelas costas a troco de uma saco de moedas. A sua presença repugna-me, sinto um enjoo súbito a revolver--me as entranhas.

— Continua, criatura de Deus. Quero saber que novas tão urgentes trazes para me apareceres nestas figuras.

— É o infante, meu senhor, que me enviou para vos dizer que não sabe quando volta. Partiu com vossos irmãos para Aragão e agora só Deus sabe o que vão decidir…

O cão fita-me enquanto mantém a sua pausa dramática. Ele sabe mais do que me diz, está a fazer de propósito para que lhe implore que me diga tudo o que me veio contar.

— Não admito esse tipo de insinuações. Afinal, sois apenas um escudeiro, não vos cabe o direito de fazer considerações sobre os actos do infante. Dizei tudo de uma vez, ou terei de vos mandar embora.

— Senhora, por favor, tende paciência. O mais importante não é o que o infante anda a fazer. O que meu senhor me pediu é que se tornou a minha maior missão, e, por consequência, a razão que aqui me traz, a qual explica porque não podeis nem deveis repudiar-me. D. Pedro ordenou-me que viesse para junto de vós e de vossos filhos com a missão de vos proteger. Os meus olhos e ouvidos deram-me a conhecer, à medida que me aproximava, que não é do agrado do povo que viveis no Paço da Rainha, o que parece provocar ainda mais a desaprovação popular sobre vós, pois este lugar foi construído para acolher infantes e não bastardos.

Sinto uma fúria cega subir-me às faces, uma onda de fogo que não consigo conter. Como se atreve um verme tão insignificante a falar desta forma comigo e a chamar bastardos aos meus filhos? Tivesse eu um punhal escondido por entre as saiotes do meu vestido e este pobre infeliz morreria agora às minhas mãos, que Deus me perdoe. Mas ele, rápido como uma mosca, ao perceber que a raiva me toma, logo muda o rumo da conversa antes que eu consiga metê-lo na ordem.

— Afinal, além das mulheres que aqui vivem, que homens tendes aqui no Paço que vos acudam num dia de má sorte? O ferreiro que está quase cego? O torneiro que é coxo e que ensandeceu desde que a mulher fugiu com um bispo?

— Como sabeis da vida dos meus criados?

— Foi D. Pedro que me contou, senhora. Ou esqueceis a grande amizade e estima que vosso senhor tem por este pobre poeta?

Outra vez a provocar-me, miserável cão sarnento. Engulo em seco. Sou uma senhora, não respondo a provocações, muito menos vindas de um ser menor como este, que só calça borzeguins porque o meu senhor também tem as suas fraquezas.

— Vamos, vamos, dizei ao que vindes de uma vez por todas.

— Vim para vos velar, D. Inês. Por ordem expressa de D. Pedro.

— E porque não mandou ele o seu guarda mais fiel, Domingos Anes, macho forte e com mestria de armas, um homem a sério, em vez de um escudeiro enfezado com feições de mulher que só sabe tocar *longas*? Porque vos mandou a vós, que certamente tendes medo de ratos e aranhas, como todas as personalidades artísticas, poéticas e frágeis?

A expressão do seu rosto endurece. Finalmente, é obrigado a reconhecer o meu desprezo; sabe que sou uma rival e que, por mercê da minha condição superior, não terá outro remédio senão vergar ao meu sarcasmo e à minha vontade.

— Senhora, não tenteis ofender-me com vossas palavras. Sei que nunca nutriste por mim simpatia e por isso não espero ganhar a vossa amizade, mas, por favor, acreditai em mim. D. Pedro teme por vós e pediu-me que vos protegesse. Posso não possuir a bravura de um herói, mas domino a arte de cavalgar e, além disso, ganho a qualquer um em astúcia e inteligência.

— E que provas tendes para que eu acredite que é essa mesma a vossa missão e não outra?

O cão abre o capote amarrotado e sujo, e retira dele um rolo de papel envolto numa fita de seda azul da Flandres. Conheço essas fitas, são as mesmas que fechavam as cartas que Pedro me escrevia durante o meu exílio em Albuquerque. O meu senhor escreveu-me uma carta! O meu coração dispara só de imaginar que vou ter entre as minhas mãos o mesmo papel que ele, dias antes, tocou.

— Aqui está — anuncia o verme, tentando esconder o tom triunfante na sua voz melíflua.

Afasto-me até à janela e respiro fundo antes de desenrolar a missiva e sento-me na namoradeira para ler com atenção e cuidado todas as palavras. O meu amor escreveu-me, o meu amor está a pensar em mim.

Minha querida Inês:

Ainda não perfaz uma lua que me apartei de ti e já não sei como viver com tanta saudade. Sempre que olho para a via celeste e avisto o mar de estrelas, penso em ti e em quanto amor te guardo. Todas as luzes que irradiam no firmamento brilham menos do que o amor infinito que tenho por ti. Há dez anos que partilhamos a nossa vida e quero que saibas que agora te quero mais do que nunca. Mas os desígnios de um futuro monarca não se compadecem com a vida do Paço e quer o destino que eu parta em viagem com teus irmãos, que são já meus irmãos também, em busca de uma aliança que será boa para todos nós.

Para teu bem e dos nossos queridos filhos, mais nada te posso dizer, mas peço-te que acolhas Afonso Madeira, meu fiel servo e escudeiro, para tua protecção. Sei que o amor que esse jovem me tem é suficiente para te proteger de qualquer mal, pois assim me jurou, de joelhos, enquanto beijava o crucifixo que me ofereceste no Moledo e que trago sempre junto ao peito para me proteger. Por favor, acolhe-o, dá-lhe pão e guarida e aproveita a sua presença para te distraíres um pouco. É um trovador talentoso e um poeta razoável. E com ele por perto daqueles que mais amo, sinto-me mais seguro.

E agora sossega, porque voltarei sempre para os teus braços, nesta ou em qualquer outra vida, tu sabes, meu amor, pois alma mais amiga da tua nunca conhecerás, nem nesta vida, nem na vida eterna que a todos nos espera. E abraça os nossos filhos por mim todos os dias a todas as horas, pois és tu a quem mais amo, antes e depois do reino de Portugal, até ao fim do mundo e ainda depois deste.

Eternamente teu
Pedro, infante de Portugal

Leio a carta devagar, cada palavra ecoa na minha cabeça com a voz do meu querido e amado Pedro. Sinto amor e verdade em tudo o que me diz. Comigo, ele é sempre verdadeiro e puro, alguém que o mundo não conhece. Releio a carta vezes sem conta, perco a noção do tempo e só o barulho seco do corpo do escudeiro a cair no chão frio me faz regressar à realidade.

— Por favor, senhora — balbucia, já sem forças —, tende piedade de mim, há três dias que não como.

Corro para a porta e grito por ajuda. As minhas criadas, Clara, a muda, e Remédios, a moira, acorrem de imediato.

— Chamem alguém que leve este homem daqui, dêem-lhe de comer e de beber e destinem-lhe um sítio para dormir.

— Onde, senhora? — pergunta Remédios.

— Junto com os outros criados, mas perto do Paço. E quando ele estiver restabelecido, dêem-lhe vestes antigas do infante e digam-lhe que só se poderá apresentar nos meus aposentos quando eu assim o ordenar. E chama-me a Teresa.

O cão levanta-se, apoiado nas duas serviçais, e Teresa entra na sala pouco depois.

— O que se passa, senhora?

— Temos visitas, querida Teresa.

— Então esse verme, o cão, como sempre o chamaste, veio para ficar?

— Sim, ordens do infante.

— Que estranho. E tendes a certeza da verdade das suas intenções?

Estendo-lhe a carta.

— D. Pedro assim o escreveu nesta carta que ele trouxe.

Teresa devolve-ma sem sequer passar os olhos pelo que está escrito. E Teresa sabe ler, fui eu que a ensinei a alinhar as letras até fazerem sentido em palavras.

— Podes ler, querida Teresa. És a única verdadeira amiga que Deus me deu. Só a ti posso dizer tudo o que sinto e tu sabes o quanto te estimo por isso. As confidências unem as mulheres neste mundo de homens. Só mesmo a ti posso mostrar o que Pedro me diz.

— Não, senhora! O que a vós vos pertence de mais sagrado e íntimo não é da minha conta. Mas muito me alegro por saber que o infante vos escreveu. Ele não passa certamente um instante sem vos amar e vos desejar. É a história de amor mais bela que já conheci.

— Assim também Deus, com toda a sua misericórdia, veja o que tu vês, minha fiel Teresa.

E assim que me oiço dizer estas palavras, sinto dentro do peito uma dor aguda e cortante. É Deus a chamar-me pecadora. Ando a brincar com o fogo há demasiado tempo, mais tarde ou mais cedo a Sua mão virá castigar-me, agora sim, tenho a certeza. E não será este cão, que nem ladrar sabe, quem me poderá salvar.

Cabra vil e insensível, filha de uma bruxa, hás-de morrer em breve. Pensas que mandas no reino só porque tens o infante de Portugal nas tuas mãos, mas enganas-te. Pedro não é só teu, nunca o será, pois antes de ti já me amou, e depois de tua morte, voltará a amar-me. Ele gosta de machos, pois só os homens conhecem a anatomia do corpo masculino e os caminhos que conduzem ao verdadeiro prazer.

Os homens são como uma irmandade, sozinhos governam o mundo. As mulheres servem para parir e pouco mais. Não sabem cavalgar, não sabem lutar, não sabem pensar, só sabem criar os filhos e intrigar nas mil e uma maneiras de prender um homem. Pois não entendeste ainda que somos seres selvagens e indomáveis? Que é entre os nossos pares que nos sentimos bem? Ou não sabeis o que de vós escarnecemos quando, em dias de festa, trocamos a espada pelo vinho e nos divertimos sem a vossa presença? Que troçamos do vosso cheiro azedo, das vossas carnes moles, dos vossos membros frágeis, dos vossos pés pequenos em cima dos quais tantas vezes mal vos equilibrais? E das vossas formas horrendas quando emprenham, as bocas inchadas, as pernas como troncos, os humores variáveis e traiçoeiros? Como sois fracas, ridículas e tristes, ó mulheres do mundo!

E tu, Inês, que te crês mais bela, mais formosa e mais inteligente do que as outras, és ainda mais desprezível, por seres tão arrogante. Pensas que és dona e senhora do coração do infante. É certo que ele tem como fraqueza amar-te, mas um homem não é só feito de coração, é sobretudo feito de carne, de músculo e de instinto. Um homem precisa de lutar e de caçar, a vida doméstica faz um macho definhar mais depressa do que o cativeiro forçado. Não entendes porque Pedro nunca fica mais de meia dúzia de dias na tua companhia, ó ruça presumida? Porque se entedia contigo, mulher. Um homem não quer saber das intrigas caseiras nem de episódios domésticos, por Deus! Um homem que se preze ama e respeita os seus companheiros acima de qualquer fêmea que se atravesse no seu caminho.

Eu sei o que Pedro te escreveu, li a carta a caminho do Paço de Santa Clara. Cada palavra feria-me como uma adaga espetada no peito porque senti que me traía, pois ainda por estes dias ele me possuiu como tantas vezes o faz quando viajamos! Mas deixa-me que te diga, ó galega bastarda, que quando Pedro me possui, também me beija e me acaricia, também me diz palavras de amor ao ouvido, palavras que não posso repetir porque a minha condição não mo permite.

É deleite do meu senhor possuir éguas mansas, ovelhas, outras mulheres e outros homens por entre os seus validos, é a sua natureza, e tal comportamento não nos choca, porque somos todos feitos da mesma massa. Para nós, homens, o corpo que usamos nas batalhas é um instrumento de partilha e de celebração da vida. Também João Telo e Estêvão Lobato são companhias de sua predilecção. E nem imaginas, pobre dama, quantas e quantas vezes nos deleitamos em conjunto, comparando em alegre camaradagem as diferenças entre os nossos membros e os manuseamos em conjunto, na procura incessante de novos prazeres. Somos homens, para nós o prazer é quase um dever, há que o cumprir, ainda que nas costas de Deus, pois tais pecados são inconfessáveis e deles guardamos segredo o melhor que podemos.

Dizem que Deus nunca se distrai e tem olhos em toda a parte, mas se Deus não quisesse que partilhássemos os nossos corpos de forma livre, não nos teria dotado de uma anatomia tão versátil e rica. Também na Natureza existem machos emparelhados com outros machos, estou certo de que por entre espécies de animais e plantas existem muitos que não são só machos nem fêmeas, mas os dois num só corpo, pois a Natureza é toda ela diversa e desigual. A Igreja teima em separar os géneros com a mesma estreiteza de visão com que separa os virtuosos dos pecadores, os crentes dos hereges, a luz das sombras, os Céus do Inferno, o Bem do Mal. Mas que moral pode ter a Igreja se os seus homens também praticam pecados nefandos e também rouçam mulheres e crianças? El-rei, a quem nunca foi conhecida nenhuma amásia, já legislou contra tais actos, mas tentar vergar os instintos carnais dos homens é tão disparatado como tentar mudar o curso dos ventos ou o ciclo das marés. É o instinto que reina no coração dos homens, que com as suas garras lhes lavra a alma para a conquista do poder e do prazer. Aos homens nada mais importa, somos feitos de matéria e de sangue, filhos da terra, e a terra é suja, é escura e é pesada. É certo que temos alma e que por isso nos distinguimos dos bichos, mas na liça, na peleja e na batalha voltamos ao nosso estado mais puro para sobreviver, e lutamos como bestas. E quando as batalhas se findam, todos somos abutres em busca de riqueza, de mercês e de escravos.

Tão depressa somos bravos como cobardes, depende do nosso chefe, ou do lado para que pende a vitória. A valentia é o luxo dos nobres e uma carta de alforria para plebeus como eu, que ascendem à glória apenas por servir o seu senhor.

É certo que sou diferente dos outros escudeiros, porque tenho com D. Pedro uma amizade que me dá um estatuto especial, mas sei que sou apenas seu servo e que a mão que agora me protege pode ser a mesma que um dia me irá castigar, se trair a sua confiança. Como tal, Pedro nunca pode saber o quanto te odeio, Inês, o quanto te desprezo. Mas não ponho nisso meus receios, pois desde menino que aprendi as artes de dissimulação. Quando um homem nasce pobre, só a valentia e a astúcia o podem salvar. No meu caso, quis Deus que me fizesse moço garboso de feições perfeitas e corpo delicado, o que sempre cativou os olhares de homens já feitos que cobiçam o próximo sem que tal pecado jamais se lhes oiça em confissão. E foi assim que aprendi a manha de agradar, calando ao mundo os favores que dou, e faço-o a quem me quiser proteger. E fica sabendo, mulher ignorante, que ainda que não te agrade, sei como seduzir as mulheres e já seduzi umas tantas, quantas as minhas vontades me ditaram. Sei o que dizer a uma dama ou o que falar sobre ela a quem a admira. É por isso que o infante cuida que te quero tanto como a ele, pois sempre que a ocasião se desenha, lhe elogio a sorte de ter para seu deleite tão bela dama.

O infante é puro e ingénuo, acredita que por ser filho do rei nunca os seus homens o irão trair. E é por isso mesmo que vou conseguir alcançar os meus intentos em breve, pois ao meu senhor, a quem Deus deu tanta força nas carnes e na verga, não lhe foi concedido o dom da astúcia nem da hipocrisia, e por isso não lê no meu coração aquilo que no coração dele não vive. Pedro é néscio, como desabafa el-rei à boca pequena com seus conselheiros, Pêro Coelho, Álvaro

Gonçalves e Diogo Lopes de Pacheco, o mais velho, o mais sábio e aquele que tu, com o teu instinto apurado de mulher vivida, mais temes.

Mas de mim ninguém desconfia, não sou ninguém, apenas um pobre escudeiro que o infante protege, e é por isso mesmo que quando chegar a hora de se cumprir com a justiça, ninguém melhor do que eu saberá o que tem de fazer.

3.º Dia

Um grande amor nunca é espontâneo.

Agustina Bessa-Luís, *Adivinhas de Pedro e Inês*

Finalmente, o Sol mostrou a sua grandeza, aquecendo, ainda que de forma ténue, o ar frio e cortante que sobe do rio e entra pelas janelas. Esta noite dormi melhor, um sono de justos, sem sonhos nem sobressaltos, com a carta de Pedro nas mãos junto ao meu coração. Não entendo porque mandou aquele bonifrate para junto de mim, mas o facto de o ter feito e o calor da sua missiva apaziguaram o meu coração assustado. Quero tanto que ele volte depressa!

Hoje, para me distrair um pouco, saí pelo burgo na companhia da minha fiel e querida aia Teresa, deixando as crianças aos cuidados de Remédios e de Clara. Remédios é uma cativa moura de olhar atento e pensamento rápido, com braços fortes e peitos rijos que encanta todos os outros criados. Tem tudo para ser uma mulher de usar o corpo como instrumento de prazer e arma de poder sobre a fraca vontade masculina, mas foi vendida como escrava quando era ainda donzela, embora já encorpada. Quando a acolhi, confessou-me que os homens já tinham feito de tudo com ela contra seu desejo e vontade, e por isso ganhou tal asco a machos que só encontra desejo nas mulheres.

Desde logo a sua alma sofrida se tomou de encantos por Clara, a minha serva muda, que me acompanha desde os tempos em que vivia na Serra D'El-Rei. A pobrezinha foi-me entregue pela avó, ambos os pais tinham morrido de peste, e a velha pediu-me que a aceitasse como minha criada. Clara sabe bordar, é muito meiga e mansa, os meus filhos são a ela afeiçoados e por ela mui amados.

Pouco tempo depois de aqui ter chegado, o meu coração disse-me que as duas mulheres se queriam muito, mas guardei o segredo em meu coração, pois aos olhos do Altíssimo o amor carnal é sempre condenado, a não ser que por Ele seja abençoado, através do sacramento do matrimónio celebrado pela Santa Igreja.

Não entendo o amor físico entre as mulheres, mas mesmo assim consigo aceitá-lo melhor do que a penitência de uma vida que nega o prazer carnal por amor ao Divino. Enquanto estiverem sob o meu tecto, estas duas almas estarão em paz, protegidas do escárnio do mundo. Nem a Pedro contei o segredo, não vá o infante pensar mal delas e julgá-las por nada.

Teresa comprou fitas de veludo para o cabelo, e eu erva-primavera para os resfriados que a invernia traz aos meus filhos e que tanto sobressaltam o meu coração de mãe. Felizmente, são os três fortes e robustos, sem falta de apetite nem outras mazelas e por isso quase nunca ficam enfermos. Mas ser mãe é isto, velar sempre por eles mesmo quando estão bem e rogar a Deus para que nenhum mal lhes chegue. Nenhum dos três herdou as maleitas do pai, até nisso Deus foi misericordioso comigo.

Já mal recordo o mundo antes de ter conhecido Pedro. São assim os desígnios do destino e quis Deus que a minha sorte fosse servir um homem que todos tomam como monstro e que o mundo não entende. Mas o meu Pedro, aquele que amo e que me ama, não é avesso comigo, nunca foi, e por isso recuso-me a acreditar em todas as barbáries que oiço sobre ele. Junto de mim e dos nossos três queridos filhos, Pedro é o homem mais meigo e o pai mais atento. O seu amor por mim e pelos nossos anjos manifesta-se em todos os seus gestos. Desde que vivemos sob o mesmo tecto como marido e mulher, o meu senhor não voltou a tocar nenhum outro corpo de mulher que não o meu. *Tu és aquela que amo, nunca haverá outro amor assim*, disse-me desde o primeiro instante, era eu ainda donzela, em Albuquerque, e nunca mais deixou de o dizer. É certo que os homens sempre usaram a armadilha do amor para enredar as mulheres honradas na teia fatal do desejo, mas o amor é uma força tão poderosa que quem a sente sabe de imediato reconhecê-la. E, depois, nada mais nos resta do que a rendição a tal poder. Não se lhe pode escapar, e nem mesmo a morte o pode destruir.

Desde muito cedo que o meu corpo trilha os caminhos do desejo. Ainda criança, a despontar para a vida de mulher, sentia já os olhares cobiçosos dos homens sobre mim. Tais olhaduras nunca me assustaram, habituei-me a viver sob as suas sombras sem deixar que me intimidassem. Sabia que era bela e sentia-me protegida pela minha beleza. Como era ingénua! Não queria nem sabia imaginar que a beleza também pode matar.

Cismo muitas vezes nisso, e agora mais do que nunca, enquanto passeio por entre os buxos e me sento junto à Fonte dos Amores, onde o arrulhar da água que corre embala o meu pequeno e frágil coração, trazendo-me as recordações que me aquecem a alma e me fazem crer que o grande amor que sinto pelo meu senhor é maior do que a própria vida.

Do tempo em que vivi sem Pedro no meu coração e no meu corpo, apenas lembro episódios esparsos e enevoados, confundindo as datas e os lugares. Sei apenas que chorei muito quando a minha querida mãe partiu deste mundo, creio que não tinha ainda cinco anos completos. Pouco tempo depois, o meu querido pai enviou-me para casa de D. João Manuel, senhor de Escalona e duque de Peñafiel, na minha querida Galiza, onde fui criada como filha. Aí ganhei outro pai e outra mãe, e também uma irmã, Constança.

Fui muito feliz em Peñafiel; aprendi a ler, a bordar e a dançar, pois D. João Manuel, além de valente guerreiro, era um homem culto e um grande poeta. Mais tarde, chorei quando Constança partiu em prantos, noiva de Afonso de Castela, pupilo de seu pai, transida de medo, quem sabe adivinhando já o destino cruel do cativeiro em Toro, e foi então que o meu pai me enviou para o castelo de Albuquerque, na Estremadura castelhana, já que Afonso Sanches e ele eram companheiros de armas.

Tive por isso três mães, a minha de sangue, Aldonça Soares de Valadares, depois D. Constança, mulher de D. João Manuel, filha de Jaime II de Aragão, e, por fim, D. Teresa Martins, condessa de Albuquerque, prima de meu pai, que sempre cuidou de mim com igual amor de mãe. E foi nesse lugar inóspito, onde o frio é mais frio e o calor é por vezes tão forte que nem se pode pisar a pedra descalça, nesse castelo erguido onde começa a meseta castelhana, que cheguei ao meu Destino, no momento em que conheci o único amor da minha vida.

Acredito que foi aí que a minha verdadeira existência começou, pois agora já não concebo a minha vida sem o amor que tenho a Pedro e aos nossos queridos filhos. Tive mais sorte do que as mulheres que conheço, pois vivo um amor inteiro e correspondido e dele já colhi os meus frutos que deixarei ao mundo.

Não foi concedido às mulheres o direito ao amor, embora a faculdade de amar nasça com elas. Enquanto somos crianças, apenas nos é permitido conhecer o afecto através das nossas mães e aias, e depois, mais tarde, quando Deus nos dá a graça de conceber e de gerar os filhos que carregamos no ventre. Porém, a vida é curta e repleta de perigos, a peste e outras maleitas misteriosas espreitam detrás dos reposteiros que nos aquecem o catre e levam aqueles que mais amamos num sopro; estamos todos presos por um fio, um fio ténue e frágil que a doença e o mundo podem quebrar. E basta um instante apenas para que a morte vença a vida.

Sei que estes afãs negros que me assaltam cada vez mais amiúde são fruto do medo e da solidão. Como mudei, meu Deus, de forma tão profunda que vejo no espelho o meu semblante alterado! Já não sou moça, mas ainda não sou velha, é o medo que me deixa aturdida e fraca.

Nunca tive medo de nada, ao contrário de Constança. Fui sempre uma criança alegre e destemida. A minha idade mais pura foi vivida nas terras de Peñafiel. Aprendi a cavalgar ainda muito nova e acredito que o amor à liberdade despertou aí mesmo, a percorrer as terras verdes, férteis e seguras da minha Galiza na companhia de Álvaro, meu dedicado e valente irmão, que me visitava amiúde e que sempre me acompanhou e protegeu como um pai. Em Peñafiel, Constança e eu crescemos entre música e rolos, ainda éramos umas crianças quando descobrimos a mais bela historia de amor contada em verso, *Tristão e Isolda*, a tragédia de um amor heróico, proibido e sublime. Era impossível então imaginar que iríamos ser as duas protagonistas de uma trama amorosa que nos iria separar para sempre e capaz de causar distúrbios entre dois reinos.

Vejo agora que além de três mulheres que me criaram como filha, tive também três tutores, D. João Manuel, João Afonso de Albuquerque, filho de Afonso Sanches, e meu irmão Álvaro. Não admira que o meu carácter tenha adquirido qualidades dignas de homem, tais como a frontalidade ou a mestria em montar e o gosto pela Natureza.

Nunca esquecerei as palavras que ouvi da boca de D. João Manuel quando Constança era ainda uma criança e ele, num gesto de boa-fé, ofereceu a mão de sua filha ao rei de Castela. A pobre alma chorou nos meus braços e implorou a seu pai que não a mandasse para os braços de um homem que tinha fama de mau e de injusto. *Tem de ser*, respondeu-lhe o pai. *As mulheres nascem para servir os homens, e as mais nobres para servir a seus pais e ao reino*, acrescentou. E a pobrezinha partiu, feita moeda de troca, sacrificada em nome de um tratado de paz entre dois gigantes, que nunca vigorou. Pobre Constança, toda a vida prisioneira de homens que nunca a amaram, repudiada por aqueles a quem fora prometida! Tão triste sorte só podia terminar em grandes aflições.

Quando, anos mais tarde, o rei de Portugal conseguiu persuadir o seu sobrinho castelhano a libertar Constança para esta se casar com Pedro, já a desgraçada tinha sulcada na sua alma todas as agruras do degredo, da solidão e da renúncia. Cresceu como alma enjeitada, nunca poderia ter sido feliz.

Não é, porém, correcto dizer que Pedro a tenha repudiado enquanto foram marido e mulher perante os olhos do Criador. Acredito que gostou dela, pois era pia e não era feia, e que tentou pelo menos ser dela amigo. Não fizesse eu parte deste xadrez infernal e talvez Pedro tivesse encontrado no casamento com ela alguma paz, a paz de que tanto precisa para descansar do mundo. Mas quis o destino, cruel e ao mesmo tempo magnífico, que quando estava ainda casado com Branca, Pedro tivesse olhado para mim, em Albuquerque, quem sabe já pela mão de meu irmão Álvaro em pacto secreto com o filho de Afonso Sanches, o grande inimigo do rei, muito tempo antes do casamento arranjado com Constança Manuel, em 1340.

Foi em Lisboa que se deu o enlace, por palavras de presente, quatro anos depois de o mesmo se ter realizado por procuração, em Évora. Estávamos no mês de Agosto, fazia um calor mortal e a Sé estava coberta de flores. O povo aclamava a chegada daquela dama que viria a ser rainha de Portugal, se a morte não a tivesse entretanto ceifado. Depois da missa, subimos a colina íngreme em liteiras até ao castelo de S. Jorge, e foi aí que começou outra batalha para o infante, a de ter uma senhora como esposa e outra como dona do seu coração, convivendo entre si e com toda a corte, sob o mesmo tecto.

Nesse mesmo serão de festa e tertúlia, entre danças e folguedos, vi o olhar de Pedro ficar preso ao meu sem que eu nada fizesse por isso. E nem o medo de trair Constança ou o temor ao rei me convenceram a repudiar os seus olhares, ao mesmo tempo ternos e sequiosos, pois desde quase menina que sentia a tirania da carne sobre o espírito e o poder do coração sobre a razão, e há muito já que Pedro possuíra o meu corpo e o tivera como dele, num tempo escondido entre as brumas, longe dali, em Albuquerque, sem que el-rei de tal tivesse qualquer suspeita.

Como podia eu negar o desejo do infante por mim? É certo que o amei desde o primeiro instante em que o vi, donzela e pura, nos jardins de Albuquerque. Diz-se em terras de Castela que *las sopas y los amores, los primeiros son los mejores*. Nada me parece mais acertado, pois a primeira vez que uma donzela sente o seu coração no peito a bater mais forte por um homem, é este que a há-de marcar para todo o sempre. E se tal encontro for feliz, não mais dama alguma esquecerá a felicidade que conheceu no momento em que se entregou de corpo e alma ao seu amado. Com Pedro foi assim; conhecê-lo, amá-lo e deixar que me tivesse por sua foi a minha vida. Não admira por isso que nunca tenha amado outro homem, pois foi sempre ele o senhor absoluto das minhas carnes e do meu coração.

E ainda que assim não fosse, que forças teria eu para, em algum momento, repudiar as suas investidas amorosas? De que armas se pode munir uma mulher para negar favores ao filho de um rei?

Não somos nada, o nosso poder é fraco e de curto alcance. O nosso destino é a fragilidade, estamos em perigo desde o momento em que nascemos; amaldiçoadas por não sermos varões, expostas a perigos e abusos, e depois entregues a outros homens como mercadoria preciosa, valor de câmbio para jogos de poder tantas vezes levianos e inconsequentes. Não somos mais do que objectos de prazer e instrumentos de reprodução para os homens, essas bestas que governam o mundo e não respeitam nada nem ninguém.

Conhecer o amor de um homem como aquele que Deus me concedeu através de Pedro é uma sorte tão rara como ter filhos perfeitos e saudáveis. E deve ser por isso que o mundo não nos perdoa: por sermos tão felizes, por termos alcançado o que o comum dos mortais nem sequer se atreve a almejar: amor, paixão, entendimento, uma casa, uma família, uma vida vivida na plenitude de um amor tão amigo. Ninguém consegue ser feliz com a alegria alheia. A felicidade é uma maldição cravada em carne viva no coração de todos aqueles que vivem sem ela, tal como o amor. Quem vive sem amor não consegue conviver com os apaixonados. E quem vive com amor já não consegue aprender a viver de outra maneira.

Tonta é esta gente que acredita no seu Deus, feito homem mártir preso a uma cruz com pregos, o Messias destas terras frias em que a geada cobre as sementeiras e as chuvas alagam terras e casas sem piedade, desde Novembro até Abril. Na terra onde nasci também há dias de invernia, mas não é este frio molhado e exasperante que nunca passa, nem com setes peles de camelo em cima. Dizem que vem do mar, mas eu sinto-o a subir debaixo da terra e a penetrar em todos os meus ossos como agulhas de tecedeira.

Na terra que me viu nascer, o mundo é diferente. Venho do calor e do sol, sou filha do grande sultão Abu-l-Hasan, rei de Fez, que Alá quis castigar, desonrando-o com a derrota na batalha do Salado, há quinze anos. Meu querido e valente pai queria vingar a morte de meu irmão, Abu-Malik, morto em Jerez de la Frontera às mãos dos castelhanos. Depois de ter dominado a frota castelhana em Gibraltar com cem grandiosos navios carregados de guerreiros valentes, foi derrotado poucos meses depois, na batalha do Salado, às mãos de portugueses e de castelhanos que se uniram para o combater, fazendo-me cativa para sempre nesta terra de gente medrosa e ignorante. O meu infortúnio deu-se quando a minha escrava, que foi feita cativa comigo e em quem eu mais confiava, atirou ao mar todos os meus pertences e convenceu o capitão do barco que era ela a filha do sultão e eu a escrava. Vestiu as minhas melhores roupas enquanto eu dormia e seduziu o pobre de espírito com tal manha que logo em seguida ele me mandou encarcerar no porão. Assim, quando desembarquei no reino de Portugal, já todos me tinham por escrava e não houve meio de repor a verdade.

Remédios não é o meu verdadeiro nome, mas antes aquele que o destino me ditou. Nasci Jala, que significa clareza, em Alhambra, a mais bela cidade dentro da cidade de Granada e fui motivo de alegria e de honra desde a hora em que os meus olhos negros viram a luz, mas já esqueci o meu passado, que é muitas vezes a única forma de uma alma desprotegida sobreviver. O esquecimento é um dom que aprendi quando para aqui me trouxeram. Mas não passa de um embuste. Posso talvez dizer que aprendi a fingir que me esqueci de todo o mal que me fizeram e a lembrar-me do bem que mereci.

Cada vez que o meu espírito irrequieto olha para o passado, não imagino o que teria sido da minha vida se D. Inês não me tivesse acudido. É a ela que devo a paz e a protecção em que vivo os meus dias nos currais do Paço. Deu comigo quando vivia no Canidelo e me encontrou à porta da igreja de Santo André, que o infante lhe doou de padroado. Nesses tempos, depois de todo o mal que me fizeram, aprendera já as manhas da sobrevivência. Manchava a cara com lama seca e cinzas e entrapava as mãos e os pés para que me tomassem por leprosa e nada mais me dessem os cristãos do que parcas esmolas. Roubara a cegarrega a um leproso velho e moribundo que topei na estrada empedrada que conduz à entrada da vila. Isto foi quando logrei escapar de casa do velho Zeferino, que em cativeiro me guardou trancada numa barraca, na qual entrava uma vez por dia para me trazer alimento e tantas vezes quantas o seu corpo lhe pedia para me rouçar.

Um dia, enchi-me de coragem e, aproveitando-me do seu deleite enquanto me possuía, tirei-lhe a adaga do cinto e espetei-lha na veia carótida, e logo ali o velho tombou para o lado, sujando-me de sangue que espirrava como uma fonte. Fugi pelos campos afora, ainda era cedo, e foi quando tropecei no leproso que logo me veio a ideia de me fazer passar por enferma para que os homens me deixassem em paz, pois muitos desenfados e desaforos o meu corpo já havia penado, desde que me achei por cativa até ao dia em que D. Inês me recolheu e me tomou como sua serva.

Depois de tudo o que penei, era menos perigoso ir para a uma gafaria, e lá mesmo apanhar a maleita de que padecem estas pobres almas, do que permanecer à mercê dos desejos brutais dos homens.

Não mais esquecerei esse dia, quando D. Inês, vendo-me sentada à porta da igreja, estancou o passo diante de mim e me perguntou de onde vinha. Ao topar no meu linguarejar atrapalhado que era moura, logo me perguntou se andava fugida e se precisava de um tecto. A seu lado estavam Teresa Galega e Clara, sua dama de companhia e sua criada mais fiel. Maior desejo a minha alma não deseja alcançar, mas sou leprosa, respondi. Tendes a certeza daquilo que me dizeis, inquiriu a grande dama, fitando-me com os seus olhos verdes que parecem ver o passado e o futuro no olhar dos outros. E foi então que as lágrimas guardadas durante tantas luas que sofri em cativeiro se fizeram em dois rios que corriam pela minha face abaixo, cada vez mais grossos, e a voz se me embargou durante o tempo de uma missa, porque entendi que Alá finalmente ouvira as minhas preces e eu estava salva.

Quando mudámos para o Paço da Rainha, já Clara e eu éramos como uma só alma, e D. Inês, sabendo de tal segredo, destinou-nos uma câmara pequena por debaixo das escadas, para que ninguém nos incomode e para que as possamos subir num ai se D. Inês ou seus queridos filhos chamarem por nós. Clara é uma moça do campo que Alá pôs em meu caminho, para me fazer mais cativa de seu coração do que a minha condição de destino. Assim que pousei nela os meus olhos de moura, logo o meu coração se acalmou e se despiu do medo e do nojo que esta gente me causa. Clara tem a pele do tom da alba dos dias mais limpos de chuva e de nuvens, e os seus olhos, que espelham a cor do trigo antes de ser mondado, jorram tanta brandura e bondade quanta a ingenuidade comum às almas nas quais nem a manha nem a maldade conhecem lugar. Foi ama de leite das crianças e tem por eles amor de mãe e por D. Inês a fidelidade nobre de uma serva por vocação, tão sincera e tão profunda que, sendo eu uma princesa de linhagem, me comovo com tais desvelos.

Também Clara foi rouçada amiúde e nunca prometida em casamento a nenhum homem, por ser pobre e órfã da mãe, entregue desde criança aos cuidados da avó paterna, que recebia dinheiros de homens sem vergonha para que nela descarregassem seus enfados, quando era ainda menina. Clara era branda demais para fugir e, por isso, a prenhez cedo lhe chegou às entranhas, e, sem saber quem poderia ser o pai de um rebento indesejado, rezou a seu Deus, a que também chamam de Jesus, para que o perdesse antes de o parir. Porém, este Deus, de quem dizem ser misericordioso mas de cuja obra na Terra só vejo crueldade e injustiça por parte de seus emissários, assim não o quis, e, por isso, Clara sofreu na carne as dores do parto para dar à luz um menino franzino que, para sua sorte, morreu logo um dia depois. E foi essa a sua salvação, pois logo a sua avó a levou ao Paço da Serra onde o infante escondia a sua amada, que acabara de dar à luz o infante João e que carecia de leite para lhe dar. Clara ficou assim para sempre com aquela que mais tarde também me salvou, e por D. Inês sempre a tratar com carinho e respeito, a seu Deus jurou que não mais deixaria tão nobre dama que a salvara das garras do mundo.

Entendo bem o pensar das monjas e mulheres recolhidas para lá dos muros do convento de Santa Clara, pois aí a crueza vil dos machos não penetra. Nem mesmo o hortelão se atreve a manhas de sedução, já que as regras do convento não permitem que à horta se dirija uma monja só, nem sequer aos pares, mas apenas no número de três ou mais, para que nem o macho nem as mulheres sintam a tentação das carnes, ou, ainda que a sintam, não pratiquem por ela actos de desvergonha sem que várias testemunhas o registem. No convento vivem também as recolhidas, grandes benfeitoras da ordem, pois a este doaram seus dotes por amor e devoção à rainha D. Isabel, de que todas falam como se santa fosse. Do mesmo modo, na minha terra as mulheres vivem fechadas em palácios, felizes por se sentirem protegidas do mundo dos homens. E cuidam aqueles que visitam minha terra que felizes não são estas mulheres, sem pensarem que a norte do estreito de Gibraltar, as mulheres com o mesmo pensar se protegem, para que os homens males vários não lhes causem.

A minha senhora protege o meu amor por Clara, certamente por viver também ela um amor ilícito. D. Inês é sábia, pois nem ao seu senhor confidencia o que se passa debaixo da câmara onde dormem. Como é fácil ludibriar um homem quando este se encontra cego de amor! A minha senhora pode dizer-lhe o que quiser, pois o infante está tão enfeitiçado por ela que nada lhe nega e em tudo crê.

D. Inês não é só uma das mulheres mais belas que este reino viu. É também uma alma pura e generosa, por isso temo pela sua vida e pela vida de seus filhos. E o mal que há muito se anuncia chegou ao Paço por via do escudeiro de D. Pedro, que agora pernoita no casebre do boieiro onde viveu Guiomar, a *Possessa*, e onde lhe morreram os quatro filhos que o pobre homem abandonou antes de ter regressado à sua terra, a Galiza, de onde a minha senhora veio.

É uma cabana com o telhado apodrecido que as gentes do povo nunca ocuparam por temor à desgraça que sob o seu tecto baixo se deu. Nem mesmo os mendigos e os malfeitores que não têm eira nem beira se quedam por lá durante muitos dias, por temer que a desgraça da morte se pegue pelas paredes sujas e húmidas. É o medo, ainda e sempre o medo de que a minha senhora vem falando cada vez mais, esse monstro que asfixia fortes e fracos, nobres e plebeus, novos e velhos, mulheres honradas e aquelas a que as gentes chamam mulheres de porta aberta. É deste triste modo que vive, medra, definha e morre esta gente que fez do temor ao seu Deus um modo de vida. E é por sentirem tanto medo que matam judeus, usando as desgraças do mundo para deles se vingarem, como aconteceu com o surto de peste. Pobres almas, condenadas e queimadas pelos carrascos de um Deus cruel, como se deles fosse a culpa de tal mal. Gente estúpida e ignorante, que não sabe que a peste veio do Oriente, da terra, e não como punição de um Deus castigador, gente porca e pestilenta que não conhece as mais básicas regras da higiene e da medicina natural que os meus antepassados árabes dominam há séculos. Esta é uma terra de gente bárbara e rude, os seus governantes não dão ao povo nem banhos públicos onde homens e mulheres se possam lavar e purificar, nem fornos comuns onde mulheres de bem possam ir cozer a massa que dá o pão aos seus filhos. Em vez do Ramadão, como são fracos, jejuam ao sexto dia da semana, no lugar das cinco rezas diárias, como manda Alá, e o mais comum é irem à igreja aos domingos, cometendo pecados durante os mais dos dias e rezando na missa em busca do perdão e da absolvição. É uma gente estranha, que tem prazer em bater nos pobres e em troçar dos cegos e dos doentes, como se a desgraça dos outros lhes consolasse a alma.

D. Inês, porém, em nada se parece com esta gente, e talvez por ser tão bela e superior, o povo a inveje e lhe deseje tanto mal.

Quis meu já falecido pai que desde criança eu tivesse acesso aos segredos de alquimia dos grandes mestres físicos que o serviam. A minha memória, bem mais extensa do que faço crer a mim mesma, para não sofrer com as atrocidades a que os bárbaros deste degredo lamacento me sujeitaram, tudo registou, como se fora palavra escrita. E foi graças a esses ensinamentos que evitei a prenhez indesejada de rouçadas de estranhos e curei as doenças venéreas que esses cães me pegaram com os seus membros infectos e curtos, e tantas outras maleitas, fruto da pancada que me deram e da comida já podre com que alimentam os cativos, cuidando que somos animais de curro.

Quando fui recolhida por graça de minha senhora, perguntou-me ela se possuía algum saber da minha terra. Sentindo então no meu coração de mulher que nela podia confiar, disse que conhecia os ofícios de penteadora e de curandeira, e logo D. Inês me deu novo nome, Remédios, e foi a partir daí que as gentes me procuraram por minhas artes de curandeira, de mim falam como a moura que mezinha todos os que trata, sem suspeitarem que sou filha do grande sultão Abu-l-San. De mim nada sabem, a não ser D. Inês, a quem prontamente ajudei em trabalhos de parto aquando da vinda da princesa Beatriz a este mundo e a quem pressinto agora de novo os ventos da maternidade, pois amiúde a vejo pálida e absorta, mais do que é comum em seu estar, e em tudo habitual nas mulheres em estado de prenhez ainda não visível.

Para as gentes do burgo sou apenas uma moura que fala pouco. Finjo que conheço mal a língua para que não me façam perguntas e não me tomem por mulher inteligente e astuta, meio caminho para ganhar inimigos por entre os mais tementes e os mais estúpidos. Mas foi ainda criança, e antes de estudar os ofícios da alquimia, que aprendi a jogar xadrez com meu pai, que me tinha como preferida. E também com tais partidas desde logo discorri com ele que o jogo da vida é ainda mais difícil que o do tabuleiro e que para sobreviver é preciso saber que jogada sucede à anterior, por forma a que a vida não tome conta de nós e nos conduza à morte certa. Quando me sento à mesa para ensinar ao pequeno João as artes e manhas de tão sábio ardil, a pedido de minha tão nobre senhora, estou também a prepará-lo para a vida, tão incerta e tão ingrata, como é de costume ser a de todos aqueles que por esta terra passam, pois se também eu nasci princesa e estou certa de me finar como cativa, a não ser que meu tio ou minha mãe, se ainda forem vivos, enviem um alfaqueque[1] para me levar de volta a Alhambra, lá vou explicando ao pequeno João que até um peão pode matar um rei, se cuidados não tiver.

D. Inês observa-me de longe enquanto borda sentada numa namoradeira, fazendo-me sinais com a cabeça de acordo com o que ao menino ensino, embora tantas vezes o seu olhar fuja para longe, por esses campos afora que se estendem por detrás das pesadas cortinas, em busca do seu amor, e é a essa tristeza sem nome, uma mistura de desolação com êxtase, que o povo desta terra chama saudade.

Na verdade são rudimentares os meus saberes, apenas conheço o poder de cada erva, as doses e os preparos com que devem ser administradas, se em tisanas ou em emplastros, bem como unguentos para males da pele e do cabelo. Mas nesta terra de néscios, aquilo que sei é muito mais do que estas pobres almas podem imaginar, pois entre eles há poucos físicos e ainda menos curandeiros, por isso me chamam bruxa nas minhas costas, e me respeitam como tal.

É Gregório, o hortelão da abadessa, quem me fornece as ervas e tudo mais de que necessito para fazer as minha poções: pez moído com vinagre para as dores de barriga, mostarda pisada com caldo de amoras para as dores de dentes,

---

[1] Emissário encarregado de resgatar cativos.

gotas de erva-primavera indicadas para febres ligeiras, leite de burra com camomila para as irritações de pele, cidreira com alecrim para os sobressaltos que o amor provoca no coração das damas, além de poções secretas e unguentos misteriosos que meu pai e meu mestre me fizeram prometer raramente usar e nunca revelar, não fosse o mundo querer roubar-me tamanha sabedoria para depois me matar sem hesitação nem remorso.

Em momento algum me dei à tentação de usar de meu saber para servir actos de bruxaria, pois sei que *si con hierro matas, con hierro mueres,* como se diz em terras de Castela. Embora também saiba fabricar venenos subtis e sofisticados que actuam em poucos instantes e para os quais não existe antídoto nem salvação, só em casos extremos faço uso de tais artes.

A medicina só deve ser usada para praticar o bem e nunca para fazer o mal. Quem do mal faz seu ofício não precisa de esperar pelos castigos da vida eterna, como esta gente crê; tudo se paga nesta vida, mais cedo ou mais tarde, como há-de pagar esse escudeiro às mãos do próprio infante, que não poupa ninguém a não ser a rainha sua mãe e aquela que vive no seu coração como sua mulher legítima.

Minha senhora teme pela sua vida e pela de seus filhos, agora mais do que nunca. Muitas vezes pede-me que durma na antecâmara do seu quarto, enquanto Clara fica a velar pelo sono dos príncipes, aos pés da cama que os três partilham, numa enxerga de palha fresca na qual a minha senhora manda pôr cobertas e peles para que ela não tenha frio. Clara e eu nunca nos afastamos dela e das crianças, bem como a boa dama Teresa, que acompanha a minha senhora faz mais tempo do que eu.

Estou em crer que Teresa, em quem D. Inês tanto confia, traz no coração o segredo de um amor escondido. Não é possível que uma dama tão nova e, ao que parece, sempre protegida pela Providência, e, por isso, nunca possuída pelos ímpetos de um macho mais afoito, não esconda a paixão por algum homem em seu coração. Um alma pode viver sem tecto, sem comida, sem dinheiros, sem roupas, sem liberdade, mas não pode viver sem amar alguém. E se porventura vive toda a sua vida sem que o amor se desenhe em seu caminho, então é uma alma amaldiçoada pelas chagas do poder, do vício, da cobiça, da vingança e da maldade.

O amor, seja ele casto ou carnal, poderia fazer muito mais pelo mundo do que as leis do Cristo crucificado que estas gentes veneram. Acredito que é função dos mártires salvar os homens através do sacrifício da sua própria carne, mas pelo que me já foi dado a ver neste mundo, tais trabalhos nunca serviram de nada. Os homens continuam perdidos e infelizes, nem o poder nem a vitória sobre os inimigos lhes traz paz ao coração. Veja-se o infante, que até cair nos braços de D. Inês nunca sentiu alegria em sua alma. É a minha senhora, com a sua luz e o seu amor por ele, que o resgata da sua natureza mais violenta. D. Inês é o caminho de redenção para este valente e nobre herdeiro, que espera o fim do reinado de seu pai, que já dura há mais de trinta anos.

Quis a sorte que com el-rei nunca me houvera cruzado, pois temo que, apesar da minha condição de cativa, a minha raiva por ele ter ditado a derrota e morte de meu pai me teria possuído sem que a pudesse ou quisesse domar. Mas el-rei nunca visitou o Paço, não quer que os bastardos lhe ocupem lugar no coração, ferido por não se entender com o seu único filho varão; prefere dedicar o seu tempo a proteger a vida do neto, filho de Maria, agora rei de Castela, e a educar o pequeno infante Fernando, que a rainha traz às escondidas ao Paço para que conviva com os seus meios-irmãos.

Mais uma vez é a sabedoria amorosa das mulheres que vence sobre a força e o poder dos homens. Fernando é ainda franzino, mas acredito que será um belo homem e tem um coração límpido e generoso. Brinca com os filhos de seu pai com alegria e simplicidade e é muito carinhoso com a pequena Beatriz. Os rapazes não são educados para bem cuidar das meninas. É certo que permitem que brinquem juntos, mas desde muito cedo os separam. Veja-se o infante João, que já acompanha o pai e seus homens em monta- rias de pequeno porte, e mesmo o pequeno Dinis, que se endireita em cima de um cavalo e pede à senhora sua mãe que o deixe partir com o irmão, sem perceber que é ainda tão pequenino que até há bem pouco ainda se molhava sem cuidado em plena luz do dia.

Beatriz é uma menina muito doce e muito bela, mais tímida e recatada do que os irmãos, mas rija e saudável, parecida com o pai em feições e com a avó rainha na ex- pressão. E a minha senhora vive para estes três anjos e é por amor a eles que mais teme pela sua existência. Não quer dizer que não ame a vida, pois esta deu-lhe tudo aquilo com que uma mulher de bem pode sonhar: o amor de um homem e uma família numerosa, fruto e testemunho dessa grande paixão que não cessa de arder e que parece mais forte do que os seus protagonistas. Mas é por isso mesmo, e porque a minha senhora sabe que tantas vezes agiu em pecado, traindo aquela que foi a sua melhor amiga, que tantas noites se entregou aos prazeres carnais a que nesta terra chamam luxúria e vivem como pecado capital, que D. Inês vive atormentada pela sombra da espada sobre a sua cabeça, cada dia mais perto, cada dia mais nítida, cada dia mais pesada.

Ninguém sabe o que minha senhora só a mim me conta. Talvez se lhe afigure mais prudente e mais natural nesta vida tudo contar a uma estranha do que a alguém que seja de igual criação, já que aqueles que nos são mais próximos são os mesmos que piores males nos podem causar, por nos conhecerem tão bem.

Pobre dama, a quem a vida já deu tudo, para agora tudo lhe tirar. Rezo por ela na minha língua, que nunca esquecerei, tal como o mal que me fizeram e o bem que mereci sob a mão protectora e atenta desta alma grandiosa e única que Alá fez nascer num corpo de mulher, e que por isso mesmo, em vez de triunfar sobre os homens, há-de padecer por eles.

4.º Dia

Estavas, linda Inês, posta em sossego,
De teus anos colhendo doce fruto,
Naquele engano da alma, ledo e cego,
Que a fortuna não deixa durar muito.

Camões, *Os Lusíadas*, Canto III

Na verdade, se puser a mão na consciência, sou obrigada a admitir que el-rei nunca me quis mal por ser mulher, mas antes por ser uma Castro e amásia de seu filho.

Assim que cheguei à corte e durante o tempo que consegui ocultar a relação com Pedro, tanto o rei como a rainha sempre se mostraram corteses comigo. Sabiam que Constança me via como irmã e a minha presença incansável ao lado da futura rainha durante os enjoos, a prenhez e as dores de parto, do qual nasceu a infanta Maria, granjearam a minha confiança junto dos monarcas. Mas tudo o que é perfeito depressa acaba. Pedro nunca foi prudente aquando das suas visitas inesperadas e cada vez mais frequentes à minha câmara, contígua à de D. Constança, apenas com a sala privada da minha senhora a separar-nos. Era apenas uma questão de tempo até que as suas visitas chegassem aos ouvidos do rei ou da rainha.

Assim que soube o que se passava, o semblante do rei mudou para comigo e nunca mais lhe vi os dentes, que ainda assim, apesar da sua dureza, não resistia em mostrar-me, sobretudo em noites de festa, quando a ocasião permitia que eu brilhasse mais, deixando os meus cabelos à vista, tranças de trigo presas e enroladas como ninhos de andorinhas, enquanto exibia para todos aqueles que quisessem ver o meu famoso colo de garça.

Quando éramos ainda como irmãs, em vão disse amiúde a Constança, cuja beleza discreta e tímida nunca deixaria de ser uma sombra daquilo que poderia ter sido, que devia ataviar-se mais e aprender a tirar partido dos dotes físicos que Deus lhe dera. Respondia-me que *não é Deus quem quer as mulheres belas, porque quando Deus nos olha, Ele só vê as nossas almas, ao contrário dos homens, que, na sua perfídia infinita, só vêem as nossas carnes.* Para Constança, a carne sempre foi um empecilho para alcançar a felicidade e a paz. São assim as mulheres castelhanas, manietadas pela castração da Santa Igreja, que tem tanta força naquela reino quanto a maldade e o poder das armas.

O rei, dizia eu, nem sequer antipatizava comigo. Houvera eu usado os meus poderes de Salomé junto do monarca com mais arte e mestria e, porventura, não me encontraria amarrada a esta teia mortal cujos fios se vão tornando mais grossos e mais apertados a cada dia que passa. El-rei tinha aquilo a que se pode chamar uma relação ambígua comigo; por um lado, não tolerava a minha presença na corte por ser manceba do filho, mas, por outro, não conseguia odiar-me, de outro modo ter-me-ia desde logo mandado para muito mais longe do que a fronteira do reino. Em vez disso, enviou-me para o castelo de Albuquerque, cuidando que Pedro se esqueceria de mim. E foi por este ter desafiado a sua autoridade que o rei começou a nutrir por mim um ódio crescente, que os seus conselheiros nunca descuraram em alimentar, como se alimenta um leão numa jaula da qual a porta um dia acabará por se abrir. D. Afonso cresceu a enfrentar desafios e não podia admitir ser provocado pelo seu próprio filho, filho pelo qual ele nem sequer tinha respeito nem apreço, por ser dele tão diferente, tão pouco dotado, indomável e bizarro, como ele nunca fora, ainda por cima por causa de uma mulher.

O filho legítimo desse grande rei que plantou o pinhal de Leiria e escreveu belas cantigas de amigo sofreu desde pequeno com a preferência de seu pai por Afonso Sanches, o bastardo de eleição entre muitos, que chegou a ser mordomo--mor do reino. A preferência era tão chocante que nem o amor da rainha D. Isabel conseguiu apaziguar a raiva e o ciúme do legítimo. E depois, o outro Afonso herdara os dotes poéticos de seu pai, bem como outro bastardo, Pedro, filho de uma mulher do povo e que, segundo me contou a rainha D. Brites, é muito dada à poesia: compilou as canções galaico-portuguesas e escreveu o famoso *Livro de Linhagens*. Ora, como se pode sentir um jovem rapazinho ao perceber que seu pai dá privilégios sem fim aos bastardos e proclama a quem o quiser escutar que estes são mais inteligentes, mais belos, mais fortes e mais cultos do que o seu legítimo varão?

O que salvou D. Afonso de não ficar acorrentado no deserto frio das árvores mortas onde padecem as almas secas de piedade e de amor foi a presença sempre atenta e terna de sua mãe e o facto de ter crescido ao lado de D. Brites, que a bondosa rainha D. Isabel tratou como sua filha. A rainha D. Brites contou-me que em crianças a sogra os criou como dois amigos, ensinando-os a serem sempre unidos, ainda muito antes de se juntarem pelo matrimónio. Como era sábia, a rainha D. Isabel! Conhecedora da alma humana, sabia que a amizade muitas vezes se transforma em amor. E assim foi. Ambos aceitaram o destino que o reino lhes marcara de forma natural, crescendo com essa realidade, de forma a que a união entre os dois nunca foi forçada.

Não entendo, por isso, por que razão o rei recusa que Pedro escolha quem queira amar, quando ele, a quem não é conhecida nenhuma amante, é o primeiro a entender que um rei que não tem ao seu lado uma mulher que ame, nunca é um rei feliz, por mais riquezas que tenha.

Não é o fantasma do amor proibido que atormenta el-rei, é o fantasma da bastardia que sempre perseguiu o seu espírito fechado e rígido, apoiado na moral e nos bons costumes atrás dos quais sempre se escudou, cuidando que é bom, fazendo de suas crenças leis que ele crê que os homens seguem, só por serem palavras de lei.

Cada tempo tem os seus ódios próprios, cada rei escolhe a sua missão e é esperado que a cumpra. D. Afonso é um moralista que quer impor os bons costumes através da lei, e, quando assim não o consegue, através da força. Não o vejo como um mau homem. Mas nenhum rei pode ser completamente bom, ou será rapidamente esquartejado vivo pelos seus rivais.

Foi quando D. Pedro me fez regressar para junto dele, desafiando abertamente seu pai, que este começou a mostrar as suas garras. Já a minha estada em Albuquerque o deve ter incomodado, pois fiquei à guarda de Teresa Albuquerque, viúva de Afonso Sanches, com quem os conflitos só terminaram quando este morreu, em 1328, tinha o meu querido Pedro oito anos. E convém não esquecer que o soberano, considerado justo e bom pelo seu povo, mandou matar outro ilegítimo de D. Dinis, D. João Afonso, por acreditar que este era aliado de Afonso Sanches aquando da última guerra que travaram, dois anos antes. Combater a bastardia sempre foi o seu maior mister, e é natural que quando Pedro quis amar-me livremente e desse amor foram nascendo crianças belas e saudáveis, o monarca tenha deitado as mãos à cabeça.

Mas esta é apenas uma parte da questão: D. Afonso e D. Brites perderam quatro dos sete filhos que geraram; apenas sobreviveram Maria, que viria a casar-se com D. Afonso de Castela, o meu querido Pedro, e a infanta Leonor, que casou com D. Pedro de Aragão, também já falecida. Os outros quatro filhos, Afonso, Dinis, Isabel e João, morreram todos antes de aprenderem a falar.

Sei que a morte ceifa os pequenos sem dó mais vezes do que aquelas que o mundo merece, mas mesmo assim não consigo imaginar a dor destes pais, por certo semelhante à minha quando o meu querido anjinho foi para o céu, multiplicada por quatro, quatro vidas ceifadas sem dó nem piedade. E aqui se vê quão cega é por vezes a mão de Deus, pois se matou os filhos a uma mulher de mau viver como Guiomar, também não poupou a vida aos filhos do rei. Em constante guerra com o meio-irmão, com a morte a roubar-lhe os filhos, é natural que o rei contasse com o seu único varão vivo para governar o reino e continuar o seu trabalho de legislador contra a imoralidade e os maus costumes. E o seu único varão, no qual o rei deposita a esperança da continuidade do reino, conquistado com tanto sangue e sofrimento, para ele não passa de um gago com ataques de loucura que tanto se deita com homens como mulheres, desafia a autoridade régia, mistura-se com o povo com quem dança e bebe até o sol nascer, e que, para cúmulo de todo este despautério, vai viver com a aia preferida da falecida mulher a quem faz uma prole de bastardos. É muito peso para um só coração.

Há muito que a rainha tenta interceder em favor do filho e também em meu favor, mas D. Afonso não dá sinais de a ouvir. Embora seja uma mulher boa e forte, não tem o carisma da mui nobre e grande senhora que foi sua sogra. Essa, sim, por todos era escutada, mui amada por seu povo, pelos filhos, pelo rei D. Dinis, seu esposo, e pelos bastardos deste.

A prática incessante do bem, sem nunca ceder à tentação de se mostrar fraca ou de maldizer os actos levianos do marido, concederam-lhe um lugar de honra e uma aura de santidade que a tornou invencível.

Assim que Constança morreu, Pedro fez-me voltar para o seu lado e, desde então, nunca mais nos separámos, já lá vão quase dez anos. A nossa primeira morada foi no Moledo, na Serra D'El-Rey, perto da Atouguia da Baleia, junto ao porto pesqueiro mais próspero do reino, perto de uma das mais belas vilas portuguesas, a fortificada Óbidos. Fomos tão felizes nessas terras bravias em que o mar abraça escarpas esculpidas pela paixão das águas e pelo poder dos ventos! Pedro mandou construir um touril onde se divertia com os seus homens enfrentando as bestas como um gigante, sem nunca sentir medo de nada. Foi aí que Pedro e os meus irmãos se tornaram companheiros de caça e de sonhos. Eu via-os juntos, a jogar e a congeminar, sem perceber o que planeavam. Não podia imaginar que já nesses anos eles tentavam convencer Pedro a declarar guerra a Pedro, seu sobrinho, já que era neto de D. Sancho de Castela. Meus irmãos e o seu desejo de cobiça que nunca esconderam, ou não descendessem de uma das cinco famílias mais poderosas de Castela.

Como é estranha para nós, mulheres, esta sede de poder que corre nas veias dos homens! Hoje entendo que os Castro depositaram em mim mais esperanças do que prudência. Sem a minha maridança com o infante, eles nunca se teriam tornado tão próximos do herdeiro legítimo do trono de Portugal. Mas nesse tempo eu não discorria ainda nada das intrigas tecidas pelo poder e pela cobiça. Era muito jovem, ingénua, vivia numa espécie de nuvem dourada, só pensava em Pedro e no nosso amor, apenas temia el-rei porque sabia que ele nos condenava e, por isso, pedia a Pedro que fosse cuidadoso, e o meu amado, que sempre atenta a tudo o que lhe rogo, mandava ferrar os cavalos com ferraduras fechadas em elipse para que ninguém o pudesse seguir quando me vinha visitar.

Tudo isto se deu há seis anos, quando a peste voltou a assolar o território. O povo, que já me detestava por viver em pecado com o infante, culpou-me da praga, como se eu fosse uma bruxa, atribuindo a causa da doença ao meu "mau-olhado". Pedro receou pela minha segurança e levou-me para o Canidelo, nos arredores de Gaia.

O infante queria honrar-me e doou-me o padroado da igreja de Santo André, colado ao Paço, e que foi a nossa morada. Um ano depois, em 1351, Pedro tudo fez para obter uma bula de dispensa do papa. Queria que nos casássemos o mais depressa possível, para calar as vozes do povo e legitimar-me perante el-rei seu pai.

No entanto, por mais preces que rezáramos a Deus Nosso Senhor Jesus Cristo, as circunstâncias não jogavam a nosso favor; os laços de parentesco entre nós eram um obstáculo, pois Pedro é ainda meu primo, já que sou neta de uma irmã bastarda da nossa rainha D. Brites. E a somar a isto, fui madrinha de baptismo do pequeno Luís, filho de Pedro e de Constança, levado pela morte com poucos dias de vida. O padrinho neste conluio foi o *Monstro*, Diogo Lopes de Pacheco, que parece estar sempre presente nos momentos mais penosos da minha vida.

Não posso em boa consciência culpá-la por ter intentado tal estratagema, quem sabe maquinado pelo *Monstro* e por el--rei para tentar afastar-me de Pedro, criando entre nós laços de compadrio que, aos olhos da Igreja, nos impediriam de sermos um dia marido e mulher. Cada um luta com as armas que tem e Constança só tinha as armas da fé. Em seu lugar, creio que teria feito o mesmo.

Como se isso não bastasse, el-rei enviou Diogo Lopes de Pacheco — o *Monstro* de falas suaves que não descansa enquanto não me der como morta — propositadamente a Avinhão, para que a bula de dispensa não nos fosse concedida.

Esperámos e rezámos os dois durante várias luas, sonhando com um milagre. Em vão. Entretanto, nasceram os meus queridos filhos, João e Dinis, que Clara pegou ao peito como se dela fossem, para meu descanso e consolo.

O meu anjo Afonso já me visitava em sonhos, para me dar alento, coragem e esperança. Como é próprio dos anjos, possuía o dom de ligar o passado com o futuro. Dizia-me que os frutos de nosso amor não haviam secado ainda e que teria mais uma filha linda, *tão formosa como vós, minha querida mãe*, era assim que me falava o meu anjo azul com a sua voz celestial. E assim foi. A minha princesinha Beatriz já aqui nasceu e aqui mesmo foi baptizada, na sala do capítulo do convento de Santa Clara. E foi Isabel de Cardona, a abadessa, quando o cansaço me roubou o leite depois do parto, que me ajudou com a receita milagrosa da rainha D. Isabel, o vinho santo que faz subir o leite no peito, porque Clara já de leite secara e Remédios não achou no burgo mulher alguma em que pudesse confiar para cuidar da minha princesa.

Meus filhos sempre tiveram Clara como ama de leite, mas nunca deixei de lhes dar do meu, por pouco e fraco que fosse, pois são carne da minha carne e em suas veias corre o sangue misturado de um amor maior. Talvez por isso sejam fortes, belos e saudáveis; João é ladino e brigão como seu pai; Dinis é alto e conversador para a sua tenra idade e quer em tudo imitar o irmão maior e seu pai, de tal modo que já me rogou que encomendasse ao sapateiro um par de borzeguins iguais aos de Pedro e de João; e Beatriz, ainda tão pequenina, já quer aprender a bordar. Senta-se à minha frente nas namoradeiras e ensaia flores de linha grossa em pedaços de ráfia com uma agulha romba para não ferir os seus dedos de criança. É uma menina linda, com os cabelos loiros e ondulados, os irmãos cedem a todos os seus caprichos de criança, Pedro adora-a, e até o pequeno Fernando se perde de ternuras por ela, permitindo que em seu regaço se sente e lhe mexa nos caracóis loiros, em tudo parecidos com os dela.

Entendo agora que a escolha da nossa nova morada não terá sido a mais prudente. É certo que no Paço do Canidelo estávamos mais isolados, protegidos apenas pelos ares divinos do padroado concedido pelo meu senhor mas que, na hora da verdade, de pouco valem a uma mulher desprotegida. Por isso mesmo, Pedro me quis junto das monjas e do burgo, aos pés do Mondego, esse outro monstro adormecido que um dia ainda irá engolir a margem e matar-nos a todos, se porventura ainda me encontrar viva.

É quase sempre ambulante e incerta a vida de um rei; não há poisos fixos, é preciso ouvir a voz do povo e acudir onde ele precisa. Mas aqui não foi o povo que me chamou, foi Pedro que me quis perto de gente boa, em quem ele confia, gente moldada à luz da misericórdia pela mão da santa sua avó, sem cuidar que no burgo há gente que me quer mal por ser quem sou.

Porque não regressa o meu amor maior? Sinto-me um animal aprisionado que enlouquece perante a espera incerta de um futuro negro. O povo quer-me morta, o rei teme que os meus filhos usurpem o lugar do pequeno Fernando, todos os nobres do reino e validos do rei detestam os meus irmãos e temem que eles se tornem ainda mais fortes. Como são diferentes os homens de nós, as mulheres! E quão extenso é um abismo entre os machos viris e as frágeis fêmeas! É o poder e a sede da guerra que os domina, enquanto nós apenas queremos amar e ser amadas. Pois não vê o meu senhor que quanto mais poderes e honrarias der a meus irmãos, mais perigosa me torna aos olhos do rei e de seus conselheiros?

Em vão tentei fazer ver isto a Pedro, mas ele ria-se de mim, perguntando, *quem tanto temes, minha querida Inês? Não vês que sou o infante de Portugal e futuro rei quando meu pai falecer? Ninguém ousa atacar-me, e, portanto, se és minha mulher no coração e na vida, ninguém te poderá causar dano.*

Pobre Pedro. É sempre quando nos julgamos invencíveis que o destino nos castiga. Pedro vive cego pela maior luz que existe, a luz do amor. A paixão por mim tornou-o ainda mais temerário e desafiador. Como todos os homens apaixonados, Pedro não tem medo de nada nem de ninguém.

Na última noite em que Pedro ficou comigo, poucos dias antes dos festejos da Consoada, recebemos uma visita inesperada. Diogo Lopes Pacheco enviou o seu mensageiro, Gonçalo Vasques, para falar com Pedro. Aquele pediu ao infante uma conversa em privado, conversa essa que o meu amado não me revelou antes de partir.

Em vão encostei a minha orelha às portas de madeira que me separavam deles, mas perdi um pouco o sentido do ouvido em criança, depois de uma infecção muito forte que me deixou com os ouvidos a jorrar um líquido amarelo e pestilento durante semanas. Foi Teresa quem me relatou o que lá se passou, graças à sua excelente memória e ao seu ouvido de perdigueiro. Ao que parece, o enviado do mais importante e influente conselheiro do rei pedia a Pedro que casasse comigo, sob o risco de eu correr perigo de vida. Segundo o emissário, esta era a vontade expressa do próprio rei que já estava cansado de ver o filho a viver sob o jugo do pecado e que, embora visse a união como uma opção estratégica desastrosa, sempre era melhor aos olhos do povo que fosse legítima.

Mas Pedro, em vez de acatar o pedido de el-rei senhor seu pai, respondeu-lhe desabridamente, acusando-o de falsidade e de hipocrisia. Afinal, Vasques era emissário do *Monstro*, e não tinha sido precisamente Diogo Lopes de Pacheco quem se dirigira a Avinhão para interceder junto do papa Inocêncio IV para que a dispensa não nos fosse dada?

Fiquei tão abalada com o que Teresa me contou que logo me recolhi em minha câmara com o vómito fácil a subir-me das entranhas, tal era o meu espanto pela resposta do meu senhor. As minhas pernas tremiam tanto que receei perder nelas a força de vez e não mais me levantar do meu catre. Não queria acreditar que Pedro, afinal, depois de todos estes anos, não quisesse casar-se comigo. Não podia ser verdade! O meu senhor só podia estar doente, o que aliás se veio a revelar como a mais certa e triste das verdades.

Teresa relatou-me que os dois ânimos se exaltaram na sala. Ouviu Pedro a bradar contra o rei seu pai, dizendo que este nunca o compreendera e que se recusava a conhecer os seus filhos, no que foi interrompido sem convicção por Gonçalo Vasques, que tentava em vão acalmá-lo, até que o inevitável sucedeu: Pedro caiu no chão e todo o seu corpo foi invadido pelas forças misteriosas do Mal, os olhos revirados e a boca vertendo espuma tão branca como a das ondas da Atouguia que banhavam os cascos dos nossos cavalos quando cavalgámos os dois pelos areais desertos, num tempo em que não tínhamos medo de nada. Foi então que Gonçalo Vasques gritou por ajuda e Teresa acudiu ao meu senhor, banhando-lhe as frontes com água benzida para estancar a crise.

Quando Pedro voltou a dar acordo de si, o emissário do *Monstro* saiu sem se despedir nem olhar para trás. E foi a última vez que a sombra do *Monstro* passou a soleira da nossa porta, mas ainda farejo o seu odor a raiva no ar, um rasto de maldade que não larga este Paço, como se a sua missão falhada tivesse deixado uma marca que nem a mudança das estações conseguirá apagar.

Fiquei tão surpresa com as novas de Teresa que quase perdi a fala. Quando Pedro me perguntou o que se passava comigo, respondi-lhe com evasivas e invoquei o meu estado de cansaço como razão de tanta tristeza e apatia. Mas como ninguém conhece melhor o meu coração do que aquele que mais amo, Pedro insistiu e, por fim, encontrei em minha alma algumas forças para o confrontar. Porque não queria o meu amado desposar-me, agora que el-rei o permitia? Pedro hesitou em responder: não confiava na palavra de seu pai, que sempre pusera as razões de Estado acima das razões do coração.

— Mas não quereis dar-me tamanha alegria e proteger os nossos filhos para sempre do fantasma da bastardia? — argumentei com os olhos inundados de lágrimas.

— Minha querida Inês, tendes de ter calma. Sempre quis que o nosso amor fosse abençoado por Deus, mas vivemos momentos de intrigas e de traição, preciso de algum tempo para me certificar das verdadeiras intenções de meu pai. Confiai em mim, como sempre o fizestes. Dai-me alguns dias para apurar o que se passa na cabeça de meu pai e dos seus conselheiros que tanto poder exercem sobre ele, Álvaro, Pêro e Diogo. E sossegai, pois o nosso futuro está nas minhas mãos e não nas dele.

Na matina seguinte, o meu senhor partiu de novo, prometendo voltar em poucos dias, mas as suas palavras não encontraram eco no meu coração.

Como é ingénuo o meu amado! De entre todos os nobres que rodeiam el-rei, Diogo Lopes de Pacheco é aquele que mais me assusta, pois é o mais velho, e, por consequência, o mais forte e o mais sábio. É ele quem lidera a vontade e o pensamento dos outros validos do rei, Pêro Coelho e Álvaro Gonçalves, o meirinho-mor do rei, homem magro, de olhar cruel, que se esconde atrás da lei para aniquilar todos aqueles que considera seus inimigos. A sua divisa é *A lei serve o cidadão*, parece que a foi buscar ao latim, contou-me Pedro, que se contorce de riso e de escárnio sempre que fala do homem, tal é o desprezo que tem por ele. E de Pacheco fala com mágoa e com dor na alma, embora este tenha sido um dos seus tutores mais influentes e mais respeitados. Conheço bem o meu amado: se o odeia com tanto fervor é porque já o amou. O seu coração leal não aceita que Pacheco o tenha traído em conluio com el-rei, impedindo que nos casássemos. Não houvera ido o homem a Avinhão interceder contra nós junto do papa e, porventura, éramos agora marido e mulher aos olhos de Deus, estando eu livre dos perigos que sinto cada vez mais próximos de mim e de meus filhos. Mas a vontade de el-rei é sempre a principal, el-rei assim o quis, e desconfio que para querer o contrário, algo de mais sórdido estará sua alteza a intrigar com seus homens, e que tais homens em conjunto intrigam coisa que boa não há-de ser.

A noite cai de repente atrás das oliveiras que rodeiam o muro do convento, junto à Fonte dos Amores onde Pedro e eu tantas vezes nos amámos. São assim os dias duros de invernia, porventura a mais triste e dolorosa da minha vida, pois nunca Pedro se ausentou tantas vezes por tão longos períodos de tempo. Mais um dia que teima em não terminar, tal é o meu langor e sofrimento. Ainda não é hoje que Pedro volta.

Teresa chama-me para a ceia, antes que anoiteça. Sento-me à mesa e mordisco sem fome um pouco de vianda seca partida e misturada com toucinho, enquanto Beatriz e os rapazes devoram tigeladas de côdeas de pão com ovos, comem figos e ameixas secas e bebem leite de cabra com mel. Beatriz pede o meu colo e aperto-a por entre meus braços de mãe, embora me sinta fraca e cansada. O que será dos meus principezinhos se a desgraça que paira no ar recair sobre mim? Quem tomará conta das suas almas? Quem os ensinará a rezar o Credo e o *Pater Noster*, a ler e a escrever e a respeitar os ensinamentos caridosos do Criador?

Percebo que fui traída pelos meus medos e que o meu olhar se ensombrou de terror, pois Teresa estende-me a sua mão acolhedora, e, apertando-me o braço levemente, murmura quase em surdina, para que as crianças não a oiçam:

— Não vos preocupeis, D. Inês, eu estarei sempre do vosso lado, pronta para vos proteger e a vossos filhos.

E eu penso, sem lhe responder, que a força das mulheres não vale nada perante a fúria dos homens, da mesma maneira que a terra nada pode contra a fúria das águas, se um dia estas se revoltam, galgam as margens e inundam os campos.

Somos tão pouco neste mundo... se hoje aqui estamos é só porque Deus assim o quer. E a felicidade só pode ser a ignorância de tal realidade.

É Pedro com toda a sua loucura quem mais me intriga e me preocupa: porque recusou agora casar-se com Inês, justamente quando enviámos Gonçalo Vasques a rogar-lhe que o fizesse? Foi o meu emissário enviado propositadamente, já que a minha presença seria para todos difícil, pois que fui eu a quem el-rei incumbiu de ir a Avinhão influenciar o papa a não conceder a dispensa, e, desde então, Pedro não mais quis falar comigo.

Mas se el-rei está agora disposto a consentir, porque não honra o infante a sua barregã, se brada aos sete ventos amá-la assim tanto e acima de todas as coisas? Será apenas um capricho para contrariar a vontade de seu pai? Ou terá em seu pensamento outros planos que desconhecemos?

E como pode um homem ser ao mesmo tempo implacável na defesa da moral pública e perpetuar sob o seu tecto o concubinato à vista de todos os olhos deste reino? Toda a situação é muito difícil, mas o mais difícil é o infante, que não se sabe governar nem deixa que lhe expliquem como deve governar a sua vida.

Gonçalo Vasques relatou que Pedro nem permitiu que terminasse a sua fala. Logo o interrompeu, em seu modo louco, furioso, que tão bem conheço, com desabafos e impropérios contra o rei, fazendo orelhas moucas à proposta enviada, zombando dela como se de uma farsa se tratasse. E fê-lo com tal convicção e raiva que Vasques não o conseguiu convencer da veracidade da sua missiva. Então o homem, que é calmo e hábil, tentou desviar o assunto para a questão política, rogando ao infante que não desse ouvidos aos Castro e que se afastasse das tramas de Castela, deixando-os entregues à sua sorte, já que deles nada de bom nem de proveitoso poderia vir para o nosso reino, mas o infante, cego, ambicioso e néscio, não o ouvia. Como um animal às voltas no seu curro, tornava ao mesmo assunto, o que mais o enfadava e ofendia, o caso de D. Inês. Vasques não conseguiu obter da boca de Pedro a razão pela qual se recusava a casar com ela, já que vinha dizer-lhe que el-rei mudara de opinião e queria, de uma vez por todas, acabar com tal desonra aos olhos do reino. Mas Pedro já não o ouvia, espumando como um cão raivoso, atirado para o chão, contorcendo-se como que possuído pelo Demo, deixando o emissário sem saber mais o que fazer, senão gritar por ajuda.

Não podemos perder mais tempo perante o perigo que o reino de Portugal corre, e nisto todos estamos de acordo. D. Álvaro Pereira, prior do Crato, defende a ruça, diz que a pobre alma está inocente e que nada sabe das conspirações que seus irmãos andam fazendo com o infante, mas tanto el-rei como os seus mais fiéis homens de bem, entre os quais me incluo, não acreditamos que assim seja.

Há demasiadas luas que Pedro anda em más companhias, a monte, por destinos incertos, só Deus sabe o que daí pode vir. As notícias que nos chegam de Castela não são as melhores; os Castro andam em conluio com Henrique da Trastâmara e seu irmão Fradique que continuam refugiados em França, depois da malograda tentativa de assassínio de Pedro de Castela. Se não nos acautelarmos, tomando as providências necessárias, acabarão por virar mais uma vez o infante português contra o seu sobrinho, e tal desgraça nunca deixarei que aconteça, juro por Deus e pela fé da Santa Igreja.

Essa gente nunca foi do Bem, embora el-rei D. Dinis se tivesse tomado de encantos por seu pai, *O da Guerra*, por ser valente e bom de pelejar. E se Álvaro seu filho é o mais manhoso, intrigando os espíritos de Inês e de seu meio-irmão Fernando, estes também não estão isentos de culpa, sobretudo ela, a ruça, que desde sempre desrespeitou as leis de Deus e a vontade do rei. Nem a morte por envenenamento de João Afonso de Albuquerque a mando de Pedro de Castela, quando descobriu que este conspirava contra ele em conluio com os Castro, afastou as ambições destes cães e de sua irmã.

Nunca me enganou, essa grande desavergonhada de modos fidalgos e voz de criança. Foi com voz doce e meneios de ventre que Salomé conseguiu a cabeça de S. João Baptista numa bandeja. Desde o instante em que vi a sombra da paixão toldar o olhar do infante, logo adivinhei que grandes desfavores e tormentos viriam de tal mulher.

Inês é muito perigosa, porque conhece o poder da sua beleza. E não há nada mais fácil para uma mulher bela do que corromper a alma de um homem; basta dar-lhe o seu corpo e fazer-lhe crer que é o único senhor das suas carnes e do seu coração.

A ruça possui encantos que a todos enfeitiça, de tal modo que até o rei se desfazia em sorrisos só de olhar para ela, e foi só quando lhe expliquei que era desde há muito a preferida do filho, e que se fizera amiga de D. Constança apenas para lhe atormentar a existência e lhe roubar o marido, é que el-rei caiu em si e deu ouvidos à minha antipatia por ela.

Anos antes, chegaram rumores de Albuquerque, onde Inês viveu enquanto Constança sofreu o exílio em Toro, sobre o interesse do infante por esta galega, mas nem el-rei nem a rainha deram ouvidos: Pedro sempre rouçou muita mulher por esse reino fora, porque haveria de ser diferente com aquela moça? Debalde alertei sua majestade para algum perigo que poderia vir daquele interesse, por Inês ser uma Castro, pois estou em crer que menos cuidados ao reino oferecem as mulheres mundanais, que el-rei tanto detesta, e que a senhora sua mãe quis proteger dos males do mundo. Inês é bem mais perigosa, porque detém sobre o infante o maior de todos os poderes, o da carne, aliado ao poder do espírito.

Antes de lhe ter pousado os olhos em cima, o infante era um jovem cheio de alegria e de vida, possuindo quem muito bem entendia, desde as éguas mais mansas às mulheres que a ele se ofereciam, só por o saber infante do reino de Portugal, e, claro, também alguns dos seus criados mais próximos. Mas tais desejos, ainda que condenados pela Santa Igreja, não trazem ao mundo maior mal do que aquele que é o de cometer pecados nefandos, nunca confessados. D. Pedro é homem de muito sangue no membro, tal como seu avô, para ele as carnes quentes e vivas são ainda mais saborosas do que as salgadas e as que saem fumegantes dos espetos, e disso faz o infante pouca distinção, desde que umas e outras lhe sejam servidas quando ele o deseja. Viandeiro de alma e de corpo, sanguinário por isso mesmo, o infante nunca se acanha a castigar aqueles que ele crê sevícias merecerem. Tem marcado na alma o selo de justiceiro por natureza, porém louco em sua índole, pois só um louco se recusa a desposar a mulher que diz amar acima de todas as coisas, depois de tanto ter desejado fazê-lo.

113

Em vão o avisámos de que D. Inês grandes perigos corria se dela não fizesse sua legítima, mas o único herdeiro do trono de Portugal vive no seu mundo, feito apenas e tão somente do seu entendimento, que nada alcança para lá das suas crenças.

Pedro é louco, sempre foi, e el-rei sabe disso. Pouco interesse mostra pelos assuntos do reino, preferindo as caçadas, as folias com o povo até de madrugada e as brincadeiras com os seus homens. É um fraco de espírito que se deixa levar pelos instintos mais baixos; nada entende de estratégia, pois sobre seu pensar reina sempre a sua vontade mais imediata. É por causa de homens como este que todo o esforço de seu avô e de seu pai pode cair por terra. E anda o senhor meu rei há tanto tempo nisto! Primeiro, contra bastardos; depois, contra vizinhos; e agora entre o desvario do filho e o amor aos netos: Fernando que será rei de Portugal, e Pedro, filho de Maria, que já o é em Castela e que os bastardos da Guzmán não descansam enquanto não o matarem.

Pobre rei de Portugal, que sempre fez tudo pela paz do reino, e agora se vê a braços com isto! A vida é sempre muito mais difícil do que a história. Daqui a muitos séculos, este rei justo e digno será lembrado como um monstro, tal como eu, pelo que iremos fazer de seguida.

Se os Castro convenceram D. Pedro a destronar seu sobrinho castelhano porque estão feitos com Henrique de Trastâmara e seu irmão Fradique, estamos desgraçados. O infante, herdeiro do trono de Portugal, pode ser um isco para esta gente cega de ambição, que até pode ter já planeado a sua morte, depois de ele destronar Pedro de

Castela. E ainda que não seja este o plano vil dos Castro, como poderá Portugal enfrentar uma guerra contra Castela quando todos os seus nobres fiéis ao rei se revoltarem por causa de um príncipe português que ousa ambicionar um trono bem maior do que a sua dimensão o permite?

El-rei não pode deixar que o seu próprio filho deite tudo a perder, e ainda por cima por causa de uma mulher.

E depois há ainda essa Remédios, a cativa serva da ruça, que todos dizem possuir artes de curandeira, que lhe é mais fiel do que o escudeiro Afonso Madeira a Pedro. Se a moura sabe curar, é porque também sabe matar. E fará tudo o que Inês lhe pedir. E estou certo de que Inês fará tudo o que os irmãos lhe pedirem.

Se os Castro quiserem mandar envenenar o pequeno Fernando, nenhuma moral os impedirá, primeiro porque não a têm, e depois porque o caminho fica livre para João, filho de Pedro e de Inês, que é o mais velho a seguir ao legítimo Fernando.

Em vão avisei a rainha, mais vezes do que é razoável a um conselheiro, para que não leve de visita ao Paço o pequeno Fernando, mas as mulheres não sabem o que é a razão, pois só conhecem a voz do coração. Até a rainha confia na moura curandeira, pois já lhe pediu que a penteasse e lhe banhasse os cabelos já baços e quebradiços da idade com unguentos e outros preparos! As mulheres são mesmo assim, confiam umas nas outras como ovelhas, cuidando que, por serem da mesma raça, não se matam nem se vingam em actos de sangue e de morte.

Como pode a rainha ter-se esquecido de que D. Inês traiu D. Constança? É certo que não era sua filha, nem ela a recolheu em tenra idade, como sua sogra o fizera, não existindo entre as duas a mesma relação que unia D. Brites a D. Isabel. Mas mesmo assim... Não existirá no coração feminino a lealdade que distingue os homens de bem dos ladrões e dos bandidos? Que mais move essas almas frágeis para além da luxúria com que enfeitiçam os homens e do amor que dizem ter aos filhos?

Entre as mulheres, há as honradas, as puras e tementes a Deus, e as desavergonhadas, que nem a Deus temem. D. Inês é dessas. Não mais esquecerei o dia do baptismo do pequeno infante Luís, fomos Inês e eu escolhidos para padrinhos por razões diferentes: eu, por ser um dos mais antigos homens de confiança do rei e, em tempos, tutor de Pedro, e a ruça, para que entre ela e Pedro existisse o laço do compadrio que impede a união pelo casamento. Durante o acto solene, a manhosa fingiu uma maleita de garganta que a impedia de pronunciar os votos de madrinha, justamente para que Deus não ouvisse da sua boca o que lhe estava destinado. Limitou-se a tossir e a acenar com a cabeça, de tal modo que D. Constança receou que a peçonha imaginária da aia se pudesse pegar ao menino, que morreu dias depois. Não se admire por isso a ruça que logo se tenha espalhado a notícia de que tinha sido ela quem amaldiçoou a vida tão curta daquela alma que Deus chamou, pois todos colhemos aquilo que semeamos.

E, mesmo assim, Constança ainda a defendeu, sabendo que ela recebia Pedro tão amiúde! Fora esta peleja entre dois machos e a força das armas seria o único caminho. Mas não é assim no mundo das mulheres.

As mulheres são seres infinitamente dissimulados; quando pensamos que as apanhamos, elas encontram sempre uma forma de escapar. E quando pensamos que se vão esgatanhar como gatas vadias, protegem-se e unem-se como irmãs.

Tais novas deixaram el-rei consternado, ainda que não surpreso. O monarca sabe o filho que tem, sempre soube, talvez por isso nunca o tenha amado verdadeiramente. Ouvi o relato de Gonçalo Vasques sentado a seu lado, em conselho fechado dos homens do reino. El-rei, com a prudência que só os velhos possuem, tinha mandado chamar propositadamente os seus validos, entre os quais Álvaro Gonçalves e Pêro Coelho. Escutou o mensageiro e depois pediu a cada um de nós a sua opinião. Tentei defender D. Inês, não porque esteja certo da sua pureza, mas porque, como homem justo que sou, só em consciência condeno aqueles cuja culpa tenha sido provada.

Diversa, porém, foi a posição do meirinho-mor, que não se acanhou em acusações à Castro, e logo ali indicou como solução a morte de Inês, no que foi apoiado por Pêro Coelho, que ousou perguntar ao soberano qual a intenção deste em ter enviado um emissário a Coimbra tentando convencer o infante a casar-se com a amásia. Expliquei a Pêro Coelho que a ideia tinha sido minha, com o beneplácito de el-rei, para tentarmos saber se o infante estava disposto a legitimar a sua união, independentemente do que seria decidido em conselho real. Além disso, se Pedro acreditasse nas intenções de seu pai, teríamos mais margem de manobra, pois, ao demonstrar o ensejo de legitimar a união, o infante nunca entenderia que tal ardil escondia intenções bem diversas. O meirinho-mor concordou comigo.

— Em causa está a independência de Portugal — argumentou Álvaro Gonçalves. — Ao matar D. Inês, sacrifica-se uma vida para evitar um mal maior.

El-rei escutava e cofiava as barbas cheias de cãs, como quem ganha tempo para alinhar as ideias.

Foi nesse momento que, de rompante e sem aviso, um emissário da infanta Maria se fez anunciar na alcáçova. Trazia novas da filha do rei, e ali mesmo, exausto e faminto, depois de beber uma taça de vinho para recuperar forças, anunciou que os Castro tentaram envenenar Pedro, filho de D. Maria e neto do nosso rei. Mais disse o pobre homem que a tentativa de assassínio fora uma vingança pela morte de João Afonso de Albuquerque e por Pedro ter repudiado Joana de Castro.

Tanto o rei como todos os que se encontravam presentes duvidaram da verdade de tais informações, mas o mensageiro, um pobre criado da infanta, exibiu um pequeno rolo assinado por D. Maria rogando ajuda a seu pai, e onde estavam escritas as seguintes palavras: *Meu ditoso Pai, Rei de Portugal, que sempre me ajudastes em todas as horas, aceitai como verdade as novas que meu mensageiro vos traz, pois suas palavras são minhas.* A missiva vinha assinada por Maria, infanta de Portugal, e com o seu selo lacrado. Não havia, portanto, qualquer dúvida.

— Isto está a ir longe demais! — bradou o rei em fúria, depois de ter dispensado a presença do pobre homem. — Não posso permitir que esses Castro ponham em risco o meu reino e a vida de meu neto. Temos de travar imediatamente toda esta loucura. Que pensais de tudo isto, meu mais antigo e sábio conselheiro?

O meu bom senso e sentido de Estado não me permitiam defender D. Inês. Entendi que não tinha argumentos e que o rei precisava de sentir o meu apoio numa decisão tão delicada.

— Se D. Inês morrer, os Castro levarão uma lição. É preciso que esses canalhas entendam de uma vez por todas que sois vós o rei de Portugal, e não vosso filho, a quem manobram como um boneco de trapos. Por isso, entre salvar a vida de uma mulher ou salvar o nosso reino, que se salve Portugal — acabei eu por concordar.

Então el-rei levantou-se, fez um gesto pedindo-nos que nos mantivéssemos sentados, começou a caminhar pela alcáçova do castelo de Montemor e disse:

— O meu filho é louco e, para mal de Portugal, é este o destino dos loucos: com a passar dos anos, ficam cada vez mais insanos, mais isolados, mais perdidos no seu labirinto e, por isso mesmo, mais difíceis de conduzir pelos caminhos da razão. Deixá-lo pensar que pode casar com Inês. Temos de agir rapidamente. O que Portugal precisa agora é de Razão de Estado. Estou cansado, pois muito já vi e fiz do alto dos meus sessenta e três anos de vida e quase trinta de reinado. O pequeno Fernando, que um dia será rei, ainda não completou dez anos de vida. Se Inês não morre, ninguém sabe que disparates os Castro conseguirão convencer Pedro a fazer. Enquanto Inês for viva, eles estão protegidos, porque sabem que o amor que Pedro tem à ruça é o seu salvo-conduto; mas com Inês morta, eles vão entender que quem manda no reino ainda sou eu, el-rei D. Afonso, porventura o mais prudente de todos os reis que governaram esta terra de gente pobre mas honrada, tantas vezes faminta mas crente, que acredita na moral, na palavra de Deus, no perdão e na salvação para aqueles que, por via de seus bons actos aqui na terra, um dia irão alcançar a paz no Reino dos Céus. Estou velho, o povo espera justiça e rigor dos meus actos, e por isso mesmo devo apressar-me. Inês não merece nem o perdão nem a salvação, terá de morrer. Não há outro caminho a seguir. Decreto aqui e agora que a dama Inês de Castro seja executada de acordo com a sua condição de nobre, degolada e não enforcada. Que morra então, por deliberação do conselho do rei, para a paz, o bem e a segurança de Portugal. Faça-se cumprir a minha palavra de rei.

E foi assim que el-rei falou, e todos anuímos em silêncio. O destino de Inês fora traçado naquele momento, já nada nem ninguém o poderia mudar. Agora faltava apenas saber quando se levaria a cabo a execução. Tudo foi decidido com grande rapidez, pois o tempo corria contra nós: Pêro Coelho já pagara a Afonso Madeira uma avultada soma de dinheiro para que ele o mandasse avisar do dia em que Pedro estaria ausente do Paço. Afonso Madeira é um dos companheiros mais próximos de Luís Anes, o falcoeiro do infante, quem sabe por este, ao que parece, também gostar de privar com homens, por isso garantiu que este enviaria uma mensagem a Pedro Esteves Condesso, falcoeiro do rei, assim que o caminho se apresentasse livre.

Todo o conluio foi arquitectado por mim, Pêro Coelho e o meirinho-mor. Durante a noite, cavalgámos os três até Coimbra e falámos com Afonso Madeira na sua cabana que dizem amaldiçoada. O fervor que tem pelo infante, o ódio que tem à ruça e a ambição deslumbrada perante um segundo saco carregado de moedas de ouro ainda mais pesado do que o anterior, foram argumentos mais do que suficientes para o convencer.

Durante a conversa secreta com o escudeiro, este afirmou que preferia guardar as intenções de tal pedido para si, pois temia que Luís Anes fosse fiel ao infante e se questionasse do porquê de tal pedido. Quanto menos forem aqueles que sabem da verdade, melhor, concluiu Álvaro Gonçalves, o meirinho-mor, conhecido pela sua astúcia e sensatez. Agora, era só preciso esperar pelo sinal para avançarmos, pois era certo que o escudeiro, pelo ódio que tinha a Inês, não iria falhar a sua missão.

Destas intrigas el-rei pouco soube, por seu cargo não se compadecer com tais ninharias. El-rei queria Inês morta, mas não a queria matar. O fardo de a condenar em conselho já lhe é suficientemente grande. E assim ficou decidido, naquela tarde invernosa e húmida, o destino de Portugal.

5.º Dia

Qual será o coração
tão cru e sem piedade,
que lhe não cause paixão
uma tão grã crueldade
e morte tão sem razão?

Garcia de Resende, *Trovas à Morte de D. Inês de Castro*

Estou aqui sentada à espera da morte.

Estou aqui sentada à espera da morte e não me posso mexer. O mais leve movimento que faça poderá virar-se contra mim. Todos os passos que ousar dar irão resultar na minha desgraça, por isso espero, nada mais me resta fazer.

Espero que o dia amanheça para poder respirar o perfume suave das oliveiras que avisto da minha janela, enquanto anseio que os meus filhos acordem para que os possa sufocar de beijos e de abraços, os meus três queridos anjos, o meu maior tesouro. Escutar os seus risos límpidos e puros, alheios ainda de toda a maldade do mundo. Pentear os seus cabelos claros e encaracolados como os meus, especialmente os de Beatriz, a minha princesinha linda, assim chamada por honra à rainha, uma cópia minha em miniatura, mas com o queixo parecido com o da avó e a força de carácter do pai. Como são belos os meus filhos! Belos e felizes, perdidos da realidade, protegidos do mundo horrível que os espera lá fora.

A rainha vem visitá-los sempre que pode, às escondidas de D. Afonso. Já o rei nunca os quis conhecer, preferindo dedicar toda a sua atenção ao pequeno infante D. Fernando. Será que o velho monarca sente receio de se afeiçoar a eles? Não, não acredito que assim seja, pois nunca mostrou pelo filho qualquer tipo de amor! Será que foi isso que provocou no meu senhor a gaguez, nem sempre presente, que desconcerta os servos e o deixa mergulhado numa raiva desesperada?

Comigo D. Pedro não gagueja. A meu lado é um homem que ninguém conhece; amante apaixonado e respeitador, pai terno e adorável. Quantas vezes vislumbrei nos seus olhos rasos de lágrimas, enquanto abraça os filhos, o reflexo do desamor que seu pai lhe transmitiu! Em vão tento apaziguar-lhe essa dor antiga, lembrando que, no seu tempo de petiz, o reino andava em guerra e que foi para sua segurança que o rei e a rainha o mantiveram afastado, mas o meu amado responde, *mesmo assim, mesmo assim, meu pai nunca gostou de mim, não como eu gosto dos nossos filhos. Sempre fui visto à luz de uma Razão de Estado, e isso, minha querida Inês, não é amor*, conclui. E eu não tenho como o contradizer, porque o que diz é a verdade.

Os filhos resgataram-no das trevas. Ele diz que fui eu, e todo o amor que me tem, mas creio mais no poder redentor dos três anjos que Deus nos concedeu com toda a Sua graça e generosidade do que nos meus poderes transformadores.

A verdade das gentes do reino é, porém, bem diversa daquela que vivo com o meu senhor e os meus filhos. Dizem que tive inúmeros amantes. Como é possível tal infâmia, pois se em menina desde logo me entreguei a Pedro e nunca o meu coração olhou sequer para a sombra de outro homem? Acusam-me de ter amaldiçoado o infante Luís de quem fui madrinha por pedido expresso da minha querida Constança, que Deus já tem na Sua paz, e que sempre respeitei enquanto viva, apesar de todo o mal que lhe infligi e pelo qual irei pagar bem caro.

No castelo de Albuquerque, sempre que Pedro me visitava, eu rogava-lhe que esperasse, que não me tocasse abaixo da linha do pescoço, tão-só e apenas me envolvesse nos seus braços imensos e quentes como os de um urso, abraçando-me junto do seu coração, para que o pudesse ouvir. Em vão. Ainda que a minha alma implorasse por pudor, o fogo da minha carne falava mais alto, o desejo cegava-me com tal intensidade que mal conseguia respirar. Então, encostava o meu peito ao de Pedro e logo o meu coração acertava o seu bater com o do meu senhor, como mandam as leis do universo, quando a fusão das almas une para sempre aquilo que nem Deus nem os homens podem separar. E, então, completamente indefesa, como um pássaro apanhado numa armadilha, inebriada de deleite e de prazer, abandonava-me nos seus braços, e ele tomava-me como sua de todas as formas que entendia, e eu deixava-me ir porque sempre lhe pertenci.

Pedro vinha ver-me amiúde, apesar da proibição régia, e, quando não podia visitar-me, enviava-me cartas através dos seus mensageiros de confiança. Cartas muito ternas e apaixonadas, cheias de esperança e de força, repetindo sem se cansar que me amava acima de todas as coisas e que queria partilhar a sua vida comigo. Os verdadeiros amantes nunca se cansam de cantar os seus amores; pelo contrário, são as palavras de amor, sempre repetidas e nunca gastas, que alimentam esse amor.

Apesar do secretismo das visitas e das missivas, tudo se sabe neste reino de gente desocupada e intriguista. Não tardou que tais novas chegassem aos ouvidos de D. Constança. Desesperada por não me conseguir afastar do coração de Pedro, apesar da distância imposta pelo meu exílio decretado pelo monarca e pelo laço de compadrio que quis criar entre Pedro e eu, ao escolher-me para madrinha do pequeno Luís, Constança pediu permissão à rainha para enviar Teresa Galega, sua aia, para saber o que se passava em Albuquerque.

Teresa Galega, que sempre acompanhou Constança Manuel desde criança, era considerada mulher de tino e de pensamento claro. A sua missão era rogar-me que repudiasse o infante e desistisse deste amor, pela amizade que Constança me tinha como sua irmã de criação, apesar de todo o mal que já lhe causara.

A aia chegou exausta e sem aviso prévio, apenas escoltada por um escudeiro de má catadura e pela sua criada Blimunda, que morreu de peste três dias depois. Desde logo o pânico se instalou no castelo de Albuquerque, a peste alastrou pela criadagem e morreram duas cozinheiras, o escudeiro que viera com elas, um moço de estrebaria e o cocheiro. O ferrador esteve quase a entregar a sua alma ao Criador, mas Este quis salvá-lo. Milagrosamente, a condessa de Albuquerque, Teresa e eu não padecemos da praga fatal. Ficámos uma semana fechadas na ala oeste, nos aposentos da minha querida mãe adoptiva, foi certamente isso que nos valeu. Passámos fome, mas sobrevivemos.

O grande surto de peste só anos mais tarde chegou a Portugal, esse que levou deste mundo os filhos de Guiomar, mas já muito antes a enfermidade andava tresmalhada pelo reino.

A sua maldição sempre pairou no território, alguns anos antes de alastrar, entrando em todas as casas e ceifando famílias inteiras.

Recordo desses tempos todo a dedicação que a condessa de Albuquerque demonstrou ao acolher-me, quer quando era ainda nova, quer durante o exílio imposto pelo rei. Amava-me como se ama uma filha, e agora que olho para o meu passado, sinto o seu amor por mim como uma dádiva dos céus ainda mais rara e preciosa. Dizem as más-línguas do reino que o seu filho João Afonso de Albuquerque foi amante da infanta Maria, irmã do meu senhor. Outra mulher de pouca sorte, usada como moeda de troca, como é comum nestes tempos de negrume em que vivemos.

A verdade é que João Afonso de Albuquerque nunca deixou de servir a rainha Maria, como aio e mordomo de Pedro, seu filho, até ao dia em que conspirou contra ele, certamente influenciado pelos Castro. As línguas pérfidas de Castela, decerto incitadas pela Guzmán, dizem que João Afonso de Albuquerque era o pai de Pedro e que este nem sequer é filho do rei de Castela.

João Afonso foi o único amigo que alguma vez Maria teve, nem que fosse pela sua dedicação e lealdade deveria merecer o respeito de todos. Mas não é assim nesta terra de mescabilheiros. Todos vivem a vida alheia como se fosse a própria, e como carregam a infâmia e a maldade dentro deles, pensam que os outros também são assim.

E se o rei de Castela já não era boa rês, o que dizer de seu filho Pedro? Há pessoas que só nasceram para praticar o mal, ele pertence a essa estirpe. É ainda um jovem e já todos o temem, pois desde o primeiro dia do seu reinado que espalha o terror mesmo entre aqueles que o servem, e os meus irmãos sonham um dia derrotá-lo.

Há cinco anos, aquando da morte de seu pai, Afonso de Castela, a primeira coisa que fez foi atacar Leonor de Guzmán, a favorita de seu pai, e dois dos seus meios-irmãos. Corre-lhe no sangue a maldade do pai, carregado com o desejo insaciável de vingança. Assim que subiu ao trono, vingou os maus-tratos infligidos à mãe, ordenando de imediato a morte da Guzmán. Rancor com rancor se paga. Mas também se diz que foi Maria, a princesa portuguesa, quem mandou assassinar a amásia de seu esposo, e a verdade de tais rumores nunca saberemos onde reside.

Pobre Maria, cuja vida sempre foi tão ingrata, a quem o destino deu um marido terrível e um filho monstruoso. Se foi ou não amante de João Afonso, pouco importa. Afinal, não terá uma mulher o direito a ser amada neste mundo de homens que são como animais selvagens? Talvez por isso as portas do castelo de Albuquerque se abrissem sempre para o meu senhor, longe dos olhares indiscretos de todos, cúmplice de João Afonso nos caminhos sinuosos dos amores ilegítimos.

Desde esses tempos em Albuquerque que Teresa se tornou minha aliada. Aquela que é agora a minha amiga mais querida e dedicada amava a D. Constança Manuel, pois viveu com ela o tormento do cativeiro em Toro, mas quis o destino que, depois de me ouvir, me amasse ainda mais. Apenas demorou uma tarde para que o seu coração entendesse que o meu amor por D. Pedro era mais forte do que qualquer outra realidade que ela conhecera antes. Desde logo o seu coração se juntou ao meu, inebriado talvez pelo relato tão sincero, tão ausente de pudor, da nossa história de amor que o tempo vem fortalecendo. E quando Constança enviou um mensageiro do rei perguntando pela sua aia Teresa, logo a condessa e eu tratámos de inventar que Teresa se encontrava enferma, talvez de peste, e, por isso mesmo, impedida de regressar à corte. Um mês mais tarde, quando Constança enviou outro mensageiro, mais letrado e sabido que o néscio que mandara antes, a condessa de Albuquerque escreveu uma longa carta explicando que, embora a maleita da aia não fosse a peste, dava à desgraçada vómitos e tinha febres persistentes, mercê das quais não se sentia com forças para viajar. Na mesma missiva, em tom apaziguador de quem diz a verdade, a condessa acalmava os receios de Constança no que respeita aos meus amores com Pedro, insinuando que eu era cortejada por vários cavaleiros, razão pela qual, estou agora em crer, se diz por esse reino fora que tive vários amantes.

As mulheres não conhecem o amor através dos homens, raramente têm essa sorte. E D. Constança nunca amou verdadeiramente Pedro, pois uma castelhana que se preze só ama a Deus, só a Deus teme e só a Ele obedece. Mas tinha por ele sentimento de posse, por ser sua mulher aos olhos de Deus e do mundo, e todos sabemos que o ciúme é um sentimento tão humano e inevitável como são o amor, o ódio, a raiva, a inveja e a cobiça.

É certo que a minha senhora de então teve desde muito nova uma vida madrasta, pouco digna de uma futura rainha. Os anos de cativeiro secaram-lhe o coração para os homens, porque só com Deus podia falar. E quem nunca recebeu amor torna-se incapaz de o dar, por isso não a posso criticar e sempre a defenderei, apesar das rasteiras que o destino, umas vezes mascarado de Deus e outras de Diabo, lança nas nossas vidas para nos afastar.

Ainda hoje rezo por ela, sempre que me ajoelho na igreja de Santa Clara e peço a Deus que proteja a sua alma magoada pelo desamor. E rezo também pelo infante seu filho, Fernando, cuja saúde débil tantos cuidados inspira ao rei e à rainha. Afinal, o pequeno é irmão dos meus filhos e Pedro também o ama, embora quase nunca o veja, porque nem sempre está no Paço quando a rainha o traz de visita.

Pedro sabe que a rainha o cria e educa com todo o amor, e já que o rei nunca lhe deu muita atenção em criança, acredita que o neto lhe preenche o coração de uma forma que ele, Pedro, nunca conseguiu.

Mas não quero e não posso desviar-me da história. É meu dever, perante meus filhos e perante a minha alma, contá-la sem nada omitir, para que todos compreendam o que me espera.

D. Afonso, percebendo que o rei de Castela não tinha intenção de se casar com Constança e apenas a usara para aplacar o poder de D. João Manuel, escreveu-lhe a pedir a mão desta para Pedro. O pedido foi recusado várias vezes, Afonso de Castela demorou muito tempo a ser dobrado. Foram anos de negociações, até que a persistência do monarca português venceu. O casamento fez-se primeiro por procuração, em S. Francisco de Évora, em 1336, ainda não tinha Pedro completado 16 anos.

E este era já o segundo casamento, pois o meu amado fora casado com Branca, a débil prima de Afonso de Castela, propondo como moeda de troca ele mesmo casar-se com D. Maria.

O casamento realizou-se em Castela, sendo o meu amado representado por Lopo Fernandes, senhor de Ferreira, mordomo--mor do rei e aio do infante de Portugal, pai de Diogo Lopes de Pacheco, o *Monstro* que envenena todos os dias o coração do rei contra mim.

Contaram-me as aias mais velhas da rainha D. Brites que Branca era tão débil e néscia que mal conseguia articular uma frase. Ao que se diz, era uma menina feia, de fraca aparência, seca e mirrada como uma árvore atacada por um praga quando é ainda um arbusto. O que nasce torto, tarde ou nunca se endireita, e aquela criatura não estava destinada a ser nada nem ninguém.

D. Branca era filha de D. Fernando, irmão da nossa rainha D. Brites. A prometida, além de mirrada, era míope, mas, por ser criança, todos ficaram à espera que medrasse. No entanto, nem o corpo nem o espírito pareciam querer manifestar-se nela. E todos perceberam que aquela pobre de espírito nunca poderia ser rainha nem dar ao reino qualquer descendência.

E enquanto todos esperavam que Branca crescesse sem que tal fosse visível, Pedro, o meu amado, já se aventurava como macho nas suas primeiras experiências, desbravando mulheres do povo e éguas mansas, sempre que os desejos da carne o enlouqueciam sem pudor nem culpa, já que tais sentimentos são sempre expiados nas mulheres, mas nunca apontados nos homens.

Pedro sempre foi forte, enérgico e fogoso, desde muito novo saboreou o privilégio de fazer tudo o que queria. Depois do primeiro casamento, nunca consumado, quando lhe arranjaram segundo, ainda por cima com uma repudiada do rei vizinho e que ele nem sequer conhecia, protestou junto de seu pai. Nunca gostou de obedecer a nada nem a ninguém, a não ser à vontade do seu coração; impor-lhe uma esposa, ainda que fosse o melhor para o futuro do reino, viria a revelar-se uma tarefa bem mais árdua do que acontecera com el-rei, que, conforme a vontade de seu pai, aceitara sem relutância D. Brites como sua mulher, pois tinham sido criados juntos e desde crianças que se entendiam como família. Até nisso a mulher de D. Dinis foi sábia; ao criar a sua futura nora como filha, incutiu no coração desta uma devoção por ela, que a adorava como se fosse a sua verdadeira mãe.

Quem me dera que o Destino me tivesse permitido conhecê-la, ter tido a sorte de ser tocada pela sua bondade e santidade! Tal como tantos outros que lhe são fiéis também eu me ajoelho e rezo junto ao seu túmulo, rogando pela sua protecção.

A lenda conta que quando a transladaram de Estremoz para a sepultar aqui, tal como era seu desejo, o calor era tanto que o ataúde começou a abrir fendas e todos temeram pelo odor que dele pudesse sair, mas, em vez disso, escorria da madeira fendida um líquido aromático que a todos maravilhou. Não sei se tal história é verdade ou fantasia das devotas, mas acredito nos poderes da rainha D. Isabel tanto ou mais do que creio em Deus.

Ao ser anunciado o casamento, logo João Afonso de Albuquerque, filho de Afonso Sanches, conspirou para me mandar para a corte, já que eu fora criada com aquela que viria a ser a futura rainha de Portugal. Há anos que não me cruzava com a minha melhor amiga de infância e há muito que era amante de Pedro, mas esse era o segredo mais bem guardado do reino, oculto em conluio pela condessa, seu filho e meus irmãos, e que só as paredes do castelo de Albuquerque haviam presenciado.

Quando voltei a ver Constança, mal reconheci os traços da menina que vira pela última vez, desfeitas em lágrimas, a entrar para uma liteira que a levaria ao suplício do exílio. As suas faces eram já magras para a idade, marcadas pela dor e pelo sofrimento, mas ainda possuía uma beleza serena, quase trágica, e falava sempre em voz baixa.

Sou mais nova do que Constança, em criança queria ser como ela, por isso imitava-a nos gestos e nos modos, copiando--a na forma de caminhar, com a cabeça ligeiramente inclinada para a frente, na graça com que segurava as pregas dos vestidos de lado, para lhes dar mais volume. Mas desde muito cedo me apercebi que possuíamos índole diversa. Enquanto Constança rezava, eu sonhava. Enquanto Constança dormia, eu revirava--me no catre, em sobressalto, sem saber que era já assaltada pelos desejos da carne, um desassossego permanente, um fogo inexplicável dentro de mim, o fogo dos Castro.

Constança e eu, além de grande amigas, éramos primas se-gundas. O meu pai, D. Pedro Fernández de Castro, chamado O *da Guerra*, era filho de Violante Sánchez de Ucero, filha de D. Maria Afonso de Ucero, que fora amante de D. Sancho IV de Castela. É certo que descendo de bastardos, mas nem por isso me envergonho da minha linhagem, pois meu avô foi um grande senhor da Galiza. E meu pai deu ao mundo quatro Castro, meus dois meios-irmãos, Fernando e a bela Joana, e, do lado de minha mãe, Aldonça Soares de Valadares, Álvaro e eu. Sou, portanto, uma dupla bastarda, apesar do casamento apressado de meus pais após o meu nascimento, e não foi por isso que deixei de conquistar o meu amado, futuro rei de Portugal.

Mas regressemos a Constança. Volto a afirmar, perante Deus que agora me escuta e pela saúde dos meus queridos filhos, que a minha amizade era sincera e profunda, como a que pode existir entre duas irmãs que se querem bem, mesmo depois de Pedro me ter roubado o coração, pois nem o trovador com mais arte saberia imaginar a intrincada teia que nos enredou. Como poderia eu adivinhar, ainda donzela e perdida de amores por um infante apaixonado, que, anos mais tarde, o jovem que eu tanto amava, por razões de Estado, seria o marido daquela que fora em tempos a minha melhor amiga? O destino é quase sempre cruel e trocista, diabólico e imprevisível, escarnece da justiça e muda a face à verdade como quem vira uma moeda. Tentar escapar-lhe, vejo agora, é inútil, como é inútil toda a existência terrena.

Foi durante o período que Constança esteve encarcerada em Toro que me mandaram para o castelo de Albuquerque, onde meu irmão Álvaro me apresentou a Pedro. Eu era muito jovem, mas já mulher, pois as regras há várias luas me deixavam cansada e ensanguentada. Tomei-me de amores pelo infante, tal como ele por mim, e vivemos um amor idílico, sem sequer imaginar a má sorte que nos esperava.

Pedro nunca me confidenciou os planos de seu pai, ocultando-me o casamento por procuração, e quando a condessa de Albuquerque me contou a verdade e confrontei o meu amado, ele encolheu os ombros e disse que eram disparates do rei, intentos que nunca iriam ter sucesso, pois o rei de Castela não tirava nenhum proveito em ceder ao ensejo de seu pai, e, além disso, ele fazia só o que queria.

Durante quatro anos Constança manteve-se encarcerada em Toro e ninguém acreditava que o monarca castelhano cedesse aos rogos de D. Afonso. Mas água mole em pedra dura, tanto bate até que fura, e, por isso, quando chegaram as novas, quatro anos depois, anunciando finalmente o casamento de Pedro com Constança com palavras de presença, eu podia perder Pedro se não continuasse perto dele.

Há muito que o meu coração era de Pedro, o meu coração e o meu corpo, a minha alma e tudo o que uma mulher tem de mais sagrado, num tempo em que el-rei nem imaginava que o seu filho mantinha com João Afonso de Albuquerque uma forte amizade.

Constança veio directamente de Toro para Lisboa e eu reencontrei-me com ela, mas nunca ganhei coragem para lhe contar que o seu futuro marido há muito era o único dono do meu coração. E a pobrezinha vinha tão desfeita do cativeiro e sentia-se tão aliviada por viver de novo em liberdade, ainda que prometida a um homem que não amava, que nem se apercebeu que eu mudara muito e que, apesar de todo o amor que lhe tinha, no meu coração existia outro amor ainda maior, pois meu ventre germinara já o meu anjo perdido, nascido em segredo no castelo de Albuquerque e levado pela mão do Senhor para o Reino dos Céus quando era ainda criança de colo.

Quando se realizou a boda real, no final do mês de Agosto de 1339, Constança vestia trajes escuros e as únicas palavras que trocou com o meu amado foram por intermédio da rainha D. Brites, cujo coração de ouro acolhera a pobre nora com todo o carinho, já que na troca planeada pelo rei também perdera a sua filha Maria, enviada para os braços do déspota Afonso.

Foi um dia terrível para mim. Estava muito calor, a missa foi interminável e eu há muito ardia nesta loucura que não mais permitiu que fosse dona de mim.

Sofri assim muito tempo, tolhida pela vergonha e pelo silêncio a que tal sacrilégio me obrigava, da mesma forma que também já me afeiçoara às terras do dono do meu coração cujos vinhedos e arvoredo evocavam na minha memória de menina a minha querida Galiza.

Os galegos sempre foram muito mais próximos dos portugueses do que os castelhanos. Lembro-me de Constança me ter dito que não gostava da paisagem da lezíria, parecia-lhe fútil e diminuída, comparada com a vastidão da meseta castelhana.

Era quatro anos mais velha do que ele, o que não ajudava, pois temia-se que já não fosse capaz de emprenhar. Eram duas almas que nada tinham em comum. Ele sempre gostou de caçar; ela raramente saía à rua. Ele sonhava com as matas de Atouguia onde foi criado no Paço que a avó mandou construir e onde, mais tarde, fomos tão felizes; ela preferia viver fechada no convento de S. Francisco, em Alenquer, que o sogro lhe ofertara quando se casou com Pedro. E, para ensombrar ainda mais a existência de Constança, o meu amado era irmão de Maria, que D. Afonso de Castela acabou por desposar.

Constança sempre viveu esmagada pelo peso da rejeição. Talvez por isso sentisse que o reino de Portugal era um prémio magro para quem podia ter sido rainha de Castela.

Casaram, sim, perante Deus e o reino, mas Pedro em nada mudou a sua vida. No dia seguinte, partiu para a caça, deixando-a só, entregue à dúvida e ao medo de não estar à altura do desejo do futuro rei, não sem antes passar pela minha câmara para me possuir e, mais uma vez, jurar o seu eterno amor.

O nosso olhar cruzou-se instantes antes da boda, e, apesar das circunstâncias não poderem ser mais adversas para mim, nunca tive tanta certeza de que ele me amava como naquele momento. Sem pudor nem vergonha, os seus olhos claros percorreram o meu corpo e mais uma vez o senti dentro de mim, nas minhas entranhas e no meu coração. Era a outra que prometia o seu amor perante os olhos da Igreja, mas era em mim que pensava enquanto repetia as palavras do enlace. Fechei os olhos e imaginei-me ali mesmo, naquele altar, como se a noiva fosse eu, porque já lhe pertencia para sempre.

Há muito que amava Pedro, a ele me entregava em segredo, de forma furtiva e silenciosa, como fazem os animais no campo e os pobres sem educação. Mas como aquilo que ninguém sabe nunca aconteceu, mantive a postura inocente e casta pelo tempo que pude, para sossego de todos, incluindo o de Constança.

Por várias vezes pedi a Deus que me ajudasse a confessar os meus pecados a Constança, a quem a vida roubara já tantas alegrias, que me desse coragem para contar à minha irmã de criação o que se passava, mas houve sempre uma força maior dentro de mim que me disse para não o fazer. Nem sequer em confissão o fiz, omitindo sempre o que se passava entre mim e o infante, não fosse o capelão do castelo usar tal informação contra mim. Temo a Nosso Senhor Jesus Cristo, filho de Deus, mas não confio nos seus representantes, que se dizem pastores das nossas almas, até ao momento em que se transformam nos nossos carrascos e nos atiram para a forca ou para a desvergonha em vida.

Agora que sinto o fim a aproximar-se e que a hora da verdade perante o Altíssimo se aproxima, reconheço que fui leviana e imprudente ao deixar que Pedro me visitasse na madrugada das núpcias, bem como assim que regressou da caça, mesmo antes de visitar Constança. Ele já era louco por mim, e, como todos os loucos, nunca cuidou de esconder ou dissimular os seus actos. Porém, se formos a ver as coisas como elas são, que mulher neste mundo tem o poder de recusar favores a um rei ou a um infante? É verdade que sempre o amei com todo o meu coração, o meu espírito e a minha carne, mas ainda que assim não fosse, que poderia eu fazer? No mundo em que vivemos as mulheres não têm vontade própria. O seu único poder está entre as pernas; usá-lo para sobreviver nunca pode por isso ser considerado um crime. Uma mulher só tem poder se der filhos ao mundo e eu tenho esse poder.

A minha consciência arrependida atormenta-me, pois que feri profundamente Constança, porque no seu sentir não só estava em risco perder, mais uma vez, a possibilidade de ser rainha como, arrisco a dizê-lo sem qualquer presunção, lhe toldava a dor de me perder enquanto sua irmã de criação. E depois, acima de todos os sentimentos, reinam as convenções, aquilo que manda a lei, a moral e os bons costumes, o desejo dos reis e de todos aqueles que constituem o poder de uma nação. Uma futura rainha não podia simplesmente perder um futuro rei de Portugal para uma aia, e, ainda por cima, sua. Sim, porque antes de ser dele, eu era dela.

Teresa Galega, por seu lado, apaixonou-se pela nossa história de amor. E, possuída pela vergonha de ter traído a infanta, ficou refém da minha razão para sempre, e nunca mais deixou o meu tecto.

Os primeiros anos do nosso amor foram feitos de espera e de abnegação, de separações e de promessas, mas sempre soube que um dia iria ter o meu infante só para mim. Em sonhos imaginava já a cara dos nossos filhos, via no nosso futuro um lugar certo e seguro. Não me perguntem como nem porquê tanta certeza, mas há coisas que já nos estão gravadas na alma quando nascemos, e, à medida que crescemos, elas medram também. É um saber que não carece de razão e que, atrevo--me agora a dizê-lo, já que nada tenho a perder, que se coloca acima da própria fé. Uma certeza que vem apenas do sentir e que se aloja nesse espaço infinito que existe entre o coração e a alma, quando o dom divino do amor nos toca durante a existência terrena. Sim, porque sei-o agora, o nosso amor sempre foi divino e é por isso que se tornará eterno.

São estranhas estas visões do futuro que a escuridão nos traz a meio da noite. Não sei como explicar tal mistério e, por isso, nunca o disse em confissão, com medo de que me vissem como uma louca e me mandassem aprisionar, mas eu vi o meu senhor em sonhos antes mesmo de o conhecer. E quando o olhei com meus olhos de mulher, já sabia que seria sua para sempre. E que um dia ele seria meu.

O que não sabia ainda é que tão grande amor iria matar-me.

Pobre senhora minha, tão nobre e boa, que a morte espera com suas garras afiadas. Essa maldita que nunca me quis levar, apesar de me ter ceifado os meus quatro filhos no espaço de uma lua. A morte é uma serpente do demo que só rouba os puros, porque os pecadores, os proscritos, aqueles que um dia irão arder na fornalha eterna dos Infernos, como eu, ainda penam em vida por todo o mal que praticaram, mesmo antes de serem entregues ao seu triste destino no dia do Juízo Final.

D. Inês vai morrer, vejo o seu triste fim desenhado nas nuvens do céu, em vão tento avisá-la, mas as grilhetas que me prendem à minha enxerga não me deixam sair daqui. Chamam-me *Possessa* porque tentei roubar a vida ao meu marido e aqui me recolhera neste lugar de redenção que a pia rainha D. Isabel mandou construir, para albergar trinta almas necessitadas, quinze mulheres e quinze homens, com a Casa de Deus pelo meio. Aqui vivo há mais de dez anos, amarrada às paredes de meu catre, pois o mundo teme que, se me soltar, infligirei a morte a alguém ou a mim mesma.

Quem é este Deus que me rouba os meus filhos sem dó, que dá aos padres o direito de nos julgar e nos condenar para todo o sempre? Será este Deus um soldado da Morte, pago por ela, para levar deste mundo aqueles que mais merecem a bênção da vida? Sei que estou a blasfemar, mas todos pensam que sou louca, por isso posso cismar e dizer tudo o que me passa pela cabeça. Sim, já fui louca, depois da morte de meus filhos, porque se em meu perfeito juízo me encontrasse, logo ali teria arrancado ao Destino a minha própria vida. Era isso mesmo que deveria ter feito: entregar--me à morte de presente, já que esta me roubara aqueles que mais amei. Em vez disso, possuída por uma fúria cega, tentei matar o meu pobre marido.

Há vários dias que D. Inês não vem ao hospital trazer-nos pão, panos lavados e o seu sorriso tão belo. E eu sei porque D. Inês já não sorri. Ela sabe que a morte está cada vez mais perto. E sabe que nada pode fazer para escapar dela.

Há muito que recuperei o sentido, mas se me faço de louca é para que continuem a dar-me pão e tecto aqui no hospital. Se um dia me libertarem, não sei como irei sobreviver. O meu corpo já está velho para servir os homens e nem os velhos me iriam tocar depois de saberem que quase matei o meu marido. Não há nada que os homens mais temam do que a morte, a simples ideia de se finarem nos braços de uma mulher é para eles o pior e mais humilhante de todos os fins. Preferem esvair-se em charcos de sangue no campo de batalha, à mercê de um inimigo qualquer, desde que alguém possa testemunhar a sua morte, em nome da honra, para alcançar a glória.

Para os homens, a honra é tudo, mesmo que tal honra mascare actos desonrosos. As mulheres morrem sós, quando muito com os filhos junto à cabeceira, quase nunca com um homem ao lado. É este o nosso destino, esta é a nossa condição. Viemos do pó e ao pó tornaremos, sem que nada nem ninguém possa alterar o cruel ciclo da vida. Cruel porque igual, imutável, imune aos desejos e sonhos humanos. Talvez por isso os homens acreditem que a eternidade existe, nesse lugar do qual todos falam mas que nenhum vivo conhece, o Reino dos Céus. Os homens precisam de acreditar em alguma coisa e felizes são aqueles que acreditam em Deus, porque na hora da morte serão salvos pela vida eterna.

Há dias em que não acredito que ainda estou viva. Só D. Inês, com a sua beleza e a sua grandeza, consegue tocar o meu coração revoltado. E agora a minha querida senhora vai morrer e eu não posso sair daqui para a avisar. E, pela primeira vez em dez anos, o meu coração volta a conhecer o afecto por outro ser humano; a única pessoa desde a morte de meus filhos que se sentou a meu lado e esperou pacientemente que a minha alma se libertasse das forças negras do Demónio e voltasse ao meu corpo, para que eu conseguisse falar e chorar toda a minha mágoa e a minha tristeza.

Foi há mais de doze luas, talvez mesmo antes da invernia passada, que D. Inês iniciou as suas visitas quase diárias ao hospital. Vinha de capote com capuz, o cabelo apanhado numa coifa simples, sem jóias nem qualquer tipo de adorno a não ser a figa que traz enlaçada no seu pulso esquerdo e que tantas vezes agarra com a sua mão direita. É um amuleto benzido por aquela que um dia há-de ser a rainha mais santa de Portugal.

Nunca mais esquecerei o dia em que D. Inês me visitou pela primeira vez. A dama sentou-se a meu lado e não falou. Ficou ali, quieta, deixando que a sua presença se espalhasse devagar. Eu olhava-a para tentar ver quem era, porque o desatino me deixou quase cega. Vejo os vultos, mas não consigo fixar os olhos de ninguém, porque nos olhos dos vivos vejo os olhos dos meus filhos. Por essa mesma razão, não suporto ver um criança, nem sequer ouvir o som de uma gargalhada ou de um choro. Acredito que me mantenho viva porque dentro do meu pensar apaguei uma parte da minha vida, como se me tivessem arrancado os dedos das mãos.

E quem fica sem dedos já não pode tocar nos outros. A morte passou a ser a minha companheira mais próxima, de dia e de noite. Só um Deus muito cruel não me levou ainda deste mundo.

D. Inês pediu um banco para se sentar ao lado do meu catre e, contra a vontade de todos, ordenou que se retirassem, para ficar a sós comigo. E então, sem dizer uma palavra, levantou a mão esquerda muito devagar e passou os seus dedos finos e frescos pelo meu cabelo tão sujo e desgrenhado que me fez corar de vergonha. Fiquei imóvel, como uma estátua sacra durante alguns instantes, e depois as lágrimas começaram a cair-me pelas faces abaixo. Então, a dama retirou dos seus saiotes um lenço de linho alvo e limpou-as cuidadosamente, uma a uma, durante o espaço de uma missa, até que a minha alma se cansou de verter as águas da tristeza, e foi como se uma ferida aberta no peito, infectada de pus e sem salvação, começasse a fechar devagar, com a mesma lentidão com que se arrastam os dias de estio.

— Amanhã vou trazer a minha aia, para te cortar o cabelo e te pentear, pobre mulher.

E sem mais, levantou-se e saiu sem olhar para trás.

Na manhã seguinte, voltou com a moura de olhos negros, uma mulher bela e inquietante, que quando olha para uma pessoa consegue ver-lhe as entranhas e as maleitas que carrega. Estranhamente, deixei que Remédios cuidasse de mim, sem oferecer resistência.

D. Inês passou então a vir amiúde, nem sempre todos os dias, mas pelo menos duas vezes por semana, quase sempre a seguir à missa, de regresso ao Paço onde vive.

Às vezes vinha só, outras com Teresa Galega, ou com Remédios, para esta cuidar de mim.

Ao fim de uma lua, D. Inês pediu que me tirassem as grilhetas sempre que me visitasse, pedido que foi negado, mas a nobre senhora insistiu e a sua persistência acabou por vencer.

A pouco e pouco, sem eu mesma dar por isso, voltei à terra dos vivos que não estão possuídos pela tristeza e pela revolta. Foi como se a sua presença ajudasse a limpar do meu corpo esse peso terrível que é o desejo de vingança. *Não te peço que compreendas o mal que Deus te fez, mas que o aceites, pois mais nada poderás fazer*, dizia-me D. Inês tantas vezes. Eu fechava os olhos, tapava os ouvidos e gemia, *não, senhora minha, não me podeis pedir tal coisa, a dor é demasiada para que eu a consiga dominar*, mas a dama do colo de garça agarrava-me suavemente nos pulsos, obrigava-me a olhá-la de frente e respondia com a sua voz suave e segura, *tu vais conseguir, Guiomar, tu vais conseguir. Cada dia é um dia novo e tu continuas viva, a vida prossegue, as estações mudam, as flores nascem, crescem e morrem, as árvores enchem-se de frutos que são recolhidos ou caem no chão, os dias quentes sucedem-se aos frios, nada pára, a vida segue o seu caminho.* E eu de novo emudecia ao ouvi-la, enquanto sentia a ferida no meu peito a fechar devagar, como uma porta que não pode fazer ruído nem bater.

É assim a D. Inês que os velhos e enfermos deste lugar conhecem: uma alma inteligente e superior que usa o seu tempo para entender os desafortunados e para os ajudar a curar as feridas da alma, aquelas tão profundas e tão sérias que nenhum físico ou curandeiro pode sequer entender.

E, por isso, sempre que ela vem, é como se atrás dos seus passos caíssem flores pelo chão, porque a sua presença é um bálsamo para estas pobres de espírito, velhas e loucas, ou as duas coisas, almas desavindas que me rodeiam neste lugar de reclusão.

Há várias dias que a minha pia senhora não vem e eu sei o que isso significa. Tem medo, e o medo tolhe-lhe todos os movimentos. D. Inês sabe que vai morrer e também sabe que não pode escapar. Ainda que fugisse pela noite adentro montada no seu cavalo, acompanhada pelas suas aias de confiança e escoltada por dois guardas, aquela que será rainha depois de morta sabe que só estaria a adiar o momento da sua partida, e, uma vez condenada, só lhe resta aceitar o destino que Deus, seja lá Ele o que for, lhe ditou.

Os meus olhos cansados e gastos pelas lágrimas nunca viram tão claro como agora; vejo D. Inês a chorar nos braços do infante. Ele está sobre ela, estão deitados no catre, D. Inês está nua e tem a cara escondida numa almofada. Ele está a possuí-la e a minha senhora chora de prazer, de raiva e de vergonha. Doem-lhe o corpo e a alma, porque só não dói a alma a quem não envergonha ninguém, e D. Inês sabe que é a vergonha do reino. Por isso chora, porque sabe que este é o seu destino e que a vida nunca lhe teria permitido outro. Pranteia-se a minha senhora sem parar, porque depois das grandes alegrias, sempre assomam as maiores aflições. Chora porque não é dona de si, nunca o foi, D. Pedro sempre a usou, e sempre abusou dela, usando para isso a máscara do amor cego que serve de desculpa nesta vida para cometer todas as abominações.

A estes pensares sem fundamento e que, contudo, são os certos, chama o povo de adivinhas. Não tenho com quem os partilhar, pois todos me temem, apesar de D. Inês ter dito a quem aqui vive que sou apenas uma alma sofrida e inofensiva.

As gentes demoram tanto tempo a esquecer o bem que lhe fazem quanto a recordar o mal feito; todos se lembram da Guiomar, a meretriz e ladra que pilhava o que podia dos homens com quem se deitava, e da Guiomar, a *Possessa,* que tentou tirar a vida ao marido, mas ninguém recorda a mulher que foi durante cinco anos esposa honrada, mãe dedicada e tecedeira humilde.

O tempo apaga tudo. Da mesma forma que foi desfazendo na minha memória o cheiro, o olhar e as gargalhadas dos meus filhos, também apagou aquilo que já fui, de bom e de mau, de melhor e de pior. Agora sou apenas uma velha perdida no mundo, presa à parede por correntes, já sem medo de mim, sem medo de nada. São poucos os sentimentos que povoam o meu coração, é como se vivesse presa à vida por um fio e o meu corpo não passasse da morada de um espectro que encarnou na existência errada.

Pergunto-me se outros mundos hão-de existir, noutras vidas ou noutros lugares, já que na Via Celeste brilham todas as noites tantas estrelas novas e diferentes que vão mudando de posição. Não é possível que só exista esta vida, como também não estou em crer que depois desta vida existam apenas três lugares para onde a nossa alma pode voar: o Céu para os puros, o Inferno para os pecadores e o Purgatório para os outros, que são afinal quase todos. Não é possível que a vida seja assim tão simples. Mas nada do que sinto ou penso mostro ao mundo. Guardo tudo para mim, não vá o Diabo, vestido com hábito de monge, me declarar herege e me mandar enforcar.

Este é um tempo de medo e de trevas, o silêncio é por isso um dos poucos aliados que as mulheres podem ter. Fico calada, esperando sem esperar, ouvindo apenas o silvar dos ventos invernosos lá fora, enquanto o bicho da madeira vai roendo as tábuas do meu catre por dentro, até ao dia em que alguém se lembrar de entrar para me dizer que D. Inês já partiu deste mundo e que nada nem ninguém conseguiram salvar a sua pobre alma. D. Inês, a única pessoa que conseguiu limpar a raiva do meu coração, a única mulher que mandou lavar os meus cabelos, a única senhora que olhou para mim e não viu uma louca, uma meretriz sem vergonha, uma ladra sem alma, uma pobre de Deus, mas sim uma mulher como ela.

6.º Dia

Mas não há para ti, para os amantes
Sono plácido, e mudo:
Não dorme a fantasia, Amor não dorme:
Ou gratas ilusões, ou negros sonhos
Assomando na ideia espertam, rompem
O silêncio da morte.

Manuel Barbosa du Bocage, *À Morte de Inês de Castro*

Estarei a sonhar? Oiço os passos pesados de Pedro a subir as escadas do Paço, é mesmo ele, vai entrar na nossa câmara. A lua vai alta, o sono demorou a chegar, sinto agora que não cheguei a adormecer, armadilhada por este pavor que não me deixa um instante de paz para respirar sem medo. É ele, sim, ninguém nesta casa ousa subir a escadaria de madeira que liga o piso térreo ao andar de cima com tanta firmeza.

Pedro entra pela câmara com uma tocha na mão, vem só, sujo e cansado como um animal, mas eu abraço-o sem me importar com o cheiro acre que inunda o nosso quarto. Atrás dele, cansados e fedorentos, entram *Touro* e *Baleia*, os seus cães de caça que nunca o abandonam. O meu senhor beija-me a testa, depois as faces, as mãos e o peito, e pede-me que dispa a camisa de dormir. Fico apenas com a fina túnica de cassa que deixa adivinhar as formas do meu corpo com a sua textura de véu.

Quero falar com o meu senhor, perguntar-lhe por onde andou e que demandas o levaram tanto tempo para longe de mim, mas assim que pronuncio a primeira palavra, Pedro tapa-me a boca com a mão.

— Depois falamos, minha querida Inês. Agora quero ter-te, não me faças esperar, sabes o quanto te desejo. Solta os teus cabelos e despe-te para mim — ordena-me. E eu obedeço.

É sempre assim quando Pedro regressa de viagem. Antes de tudo, quer possuir-me, como se morrêssemos amanhã ou daqui a algumas horas. Todos os amantes têm os seus rituais, há muito que este é o nosso: sempre que voltamos a encontrar-nos, primeiro unimos os nossos corpos no aperto do desejo, e só depois os espíritos.

Pedro enxota a camisa com um pontapé, a túnica e a touca caem de seguida no chão da câmara ao qual me sinto presa como uma estátua, paralisada de alegria e de prazer por estar de novo ao lado do meu senhor, à mercê da sua vontade. Fico nua, apenas protegida pelo amuleto que teimo em nunca tirar, a figa esculpida em azeviche que Pedro recebeu de sua avó D. Isabel pouco antes da sua morte, presa ao pulso esquerdo por um fio de prata muito fino.

Pedro agarra-me como se fosse uma criança e pousa-me em cima da cama com cuidado e carinho. Depois lava-se na bacia que uso para as minhas abluções diárias, o odor fresco da água perfumada com pétalas de rosa que Teresa manda preparar todos os dias para mim mistura-se com o cheio intenso da terra e do suor.

O meu amado despe a jaleca enquanto lhe desfaço os laços das bragas e me ajoelho para cumprir o ritual que sempre inicia os nossos encontros. As minhas mãos ficam ainda mais pequenas quando envolvo o seu membro quente, imenso e viril.

Seguro o meu objecto de devoção com cuidado, como se de um tesouro se tratasse e logo abro a minha boca para o receber dentro de mim, sugando-o devagar, qual figo maduro e suculento misturado com mel. Os meus joelhos não sentem a pedra fria e rugosa que os castiga, o meu peito enrosca-se nas pernas do meu senhor enquanto ele me despenteia os cabelos e me acaricia os ombros e as costas com as suas mãos enormes e ásperas. Vou saboreando o meu fruto mais desejado com avidez mas sem pressas, porque sei que dentro em pouco Pedro me irá erguer nos seus braços e me irá levar ao colo para o nosso catre para me possuir, primeiro devagar e com carinho, e depois cada vez mais depressa, até ao momento crucial da comunhão dos corpos no qual os dois seremos apenas um aos olhos do cosmos.

Pedro demora a levantar-me de novo em seus braços, por certo deliciado com o meu acto de amor para o qual ele me treinou desde a primeira noite que visitou o meu quarto em Albuquerque.

A inocência é o caminho mais curto para a perversão. Foi assim que o infante me perverteu em práticas de amor que nunca ousei confessar a ninguém, que me dão tanto prazer quando as pratico, como me enchem de vergonha quando, depois do acto, as recordo. Com ele descobri que o prazer está tantas vezes mais à flor da pele do que dentro de nós e aprendi que o corpo tem outro segredo que leva os nervos ao prazer sublime. Sempre gostou de morder o meu corpo de cima a baixo, começando pelos ombros, descendo pelos braços e peito, passando pela barriga e parando entre as minhas pernas, onde se perde em beijos e pequenas dentadas que me enchem de espasmos, ao mesmo tempo que provocam uma dor aguda e fugidia que é também outra forma de prazer.

Vêm-me à memória incontáveis momentos de desvario que passámos juntos, noites claras nos areais da Atouguia da Baleia em que praticámos gestos de amor sob a lua cheia que banhava o mar, tardes lânguidas no Paço do Canidelo onde as namoradeiras da nossa câmara eram tão grandes e fundas que davam espaço ao meu senhor para que nelas se sentasse e me enterrasse em seu corpo, para depois me virar de costas, praticando esse pecado nefando que a Igreja condena e castiga, talvez por saber o prazer imenso que ele pode trazer às almas terrenas.

Recordo tudo com grande clareza, como se a minha memória fosse um livro escrito por outra pessoa e a minha vida fosse a de outra mulher qualquer, de todas as mulheres deste mundo que se deixam dominar pelas leis do desejo, ditadas pelo prazer e aplicadas pela luxúria.

Pedro ergue-me suavemente, os seus braços largos e musculados levantam-me como uma pena, a sua barba ruiva roça-me o peito enquanto me enrosco no seu corpo. Deita-me em cima da cama, afasta as minhas pernas e perde-se em mim, lambendo-me e mordendo-me como se o centro do meu corpo fosse um fruto infinito, até que o meu corpo se desdobra em ondas de prazer que se propagam como chamas em dias de vento. Todo o meu ser estremece, a minha pele inunda-se de suor, a minha boca fica seca e as mãos sem governo.

Sem me dar tempo para descansar, Pedro penetra-me por cima, apoiando os braços nos meus ombros finos como se me quisesse esmagar. As suas mãos procuram os meus peitos que latejam, inchados de prazer, e sinto o centro do meu corpo a crescer, prestes a rebentar como um saco de sementes demasiado cheio. Antes que o meu corpo se abandone em ondas de paixão, ele pára, agarra-me pelos cabelos e mergulha de novo a minha cara sobre o seu membro. É porque foi assim que me possuiu as primeiras vezes, quando eu acreditava que me valia de alguma coisa guardar a minha virgindade, e eu penso sempre que não é por isso, mas porque também gosta de possuir outros homens e esta é a única forma possível de o fazer, mas calo-me, calo-me sempre, agora também já não quero saber o que fez ou faz com os outros desde que nunca deixe de me ter como sua desta forma tão arrebatadora, desde que em seus braços me alheie de tudo e sinta que estou a tocar a eternidade.

Sinto-lhe os calos das palmas das mãos a roçarem a minha pele suave, os dedos que me apertam a carne macia como tenazes, enquanto as suas ancas chocam contra os meus quadris cada vez mais depressa e com mais força. E depois já não sinto nada, já não sei onde estou nem quem sou, voamos os dois para outro mundo onde não há luz nem sombra, onde os corpos não pesam, apenas flutuam, onde não há lugar nem para o riso nem para o choro, onde medo e culpa são palavras mortas e vazias. Somos livres como nunca fomos, somos um e só um, unidos pela loucura, presos pelo prazer, condenados à comunhão das carnes e à solidão das almas.

Ao fundo da câmara, *Baleia* dormita na palha fresca, enquanto *Touro* me fita friamente. Parece-me ver um fio de espuma escorrer-lhe pelo focinho abaixo e os seus olhos a brilhar como estrelas do Mal, mas não tenho a certeza, pode ser apenas a minha imaginação, pois sei que estou fora de mim.

Um último estertor sacode o meu amado, um derradeiro golpe faz tremer os meus rins e, logo em seguida, sinto o seu corpo tombar sobre o meu, como uma pedra imensa que fecha a entrada de uma gruta.

Não sei porque me pranteio, se a vida que me escolheram teve já tantas alegrias, tantos momentos de prazer. Sempre fui dominada por homens. Primeiro, por D. João Manuel, e depois, com a morte de meu pai, por João Afonso e pelo meu irmão, Álvaro, que me puseram neste calvário, usando-me como arma de sedução para conseguir seus intentos e alcançar suas ambições. Fui sempre usada por ser mulher, o meu destino é afinal igual ao de tantas outras damas de alta estirpe. Não mereço por isso mais compaixão do que a concedida por Nosso Senhor Jesus Cristo aos pecadores que não se arrependem dos seus pecados e teimam em conspurcar a sua vida terrena com a repetição dos mesmos. Foi Álvaro quem me encheu a cabeça de sonhos e desenganos. Álvaro e Fernando, meus irmãos de sangue, em quem sempre confiei e que prometeram proteger-me até ao fim dos meus dias, foram eles quem me condenaram à triste sorte, agora sem fuga nem remédio.

Pedro e eu não passamos de bonifrates nas mãos de gente mais ressabida e mais ambiciosa. Cuidei que era a rainha branca do tabuleiro e o meu senhor o rei que comanda as suas torres, bispos, cavalos e peões, mas o pouco que me resta de lucidez diz-me que somos nós os peões em todo este jogo de interesses e de poder. Não sou, nunca fui a rainha do tabuleiro, pois na verdade nunca fui esposa de um rei aos olhos de Deus. Não é Pedro que comanda o jogo, muito menos eu. Ambos estamos a ser usados por todos eles, de um lado el-rei e seus homens, e do outro, meus irmãos e os bastardos da Guzmán. Portugueses, galegos, castelhanos e aragoneses envolvidos numa teia de política e de intriga que em muito nos ultrapassa.

Pedro e eu somos só mais um par de peças pequenas e vulneráveis porque vivemos perdidos da realidade, fundidos um no outro. Acredito que se ele morresse, eu morreria também, com ele, por ele e para ele. Estou presa para sempre a este homem e a este amor, a minha vida não é uma vida, é apenas a existência frágil e volátil de uma mulher que vive em pecado, que respira pecado, que dorme com o pecado e que se deixa possuir das formas mais pecaminosas que podem existir.

As lágrimas caem-me pelas faces, sem que as consiga estancar. Pedro descansa ao meu lado, cuido que dorme, como sempre ocorre depois de me possuir, mas talvez o meu senhor me tenha ouvido soluçar, pois pergunta-me o que se passa para eu me encontrar em estado de tal tristeza.

— Não sou nada nem ninguém — respondo-lhe, sem pensar nas minhas palavras, pois é no catre que tudo é confessado, para o bem e para o mal de nossas almas. — Sou apenas uma alma perdida, fechada num corpo de mulher. Nunca verei a minha dignidade consagrada aos olhos de Deus sob um altar enfeitado com flores, como é de direito a uma esposa legítima, nunca usarei a coroa de rainha, nunca terei os súbditos ajoelhados a meus pés nem assistirei à coroação do meu primogénito.

— Não fales assim, minha querida Inês, pois tudo está de novo nas nossas mãos e poderemos, enfim, casar. Serás rainha de Portugal, sim, posso jurar-te, pois é esse o meu maior desejo, meu amor, minha amiga mais querida e terna.

O meu coração bate muito depressa, sinto uma alegria nova e estranha a invadir-me. Estará o meu senhor a falar verdade?

Será possível que, depois de tantos anos de espera, possamos finalmente unir-nos perante Deus e acabar com esta culpa que me assola a consciência?

— Então sempre é esse o vosso desejo? Cuidei que depois do desaguisado com Gonçalo Vasques, não confiasses nas intenções de vosso pai e não aceitasses tal ideia como possível.

— Nada está mais longe da verdade, minha amada. Nunca em meu pensamento duvidei que um dia iríamos unir-nos como marido e mulher aos olhos de Deus. Pois não estamos já unidos de corpo e de coração e não temos já do fruto do nosso amor três filhos? Apenas agi daquele modo porque precisei de algum tempo para me inteirar das verdadeiras intenções de meu pai. O rei pode estar velho, mas astúcia nunca lhe faltou, e em várias ocasiões o vi mostrar misericórdia e depois agir contrariamente ao que aparentava. Foi assim com a morte de meu tio colaço Pedro, irmão de Afonso Sanches, que mandou matar à traição. Nunca confiei nele e muito menos nos abutres que o rodeiam. Mas em nome de todo o amor que vos tenho e que sabeis ser o mais forte que pode haver neste mundo, acreditai em mim e agora sossegai, pois a lua já vai alta e amanhã terei de partir de novo. Em breve seremos esposos aos olhos do Criador. E quando meu pai morrer e eu reinar, vós sereis rainha de Portugal. E todo o reino se vergará perante vossa beleza e vossa virtude, e todos vos beijarão a mão. Agora vamos descansar, pois a minha decisão está tomada.

— Quer dizer então que estou salva? — pergunto a meu senhor, sem conseguir controlar o meu pranto, inundada por emoções tão diversas que nem o meu pensar nem o meu sentir conseguem explicar.

— Estás sim, meu amor. Em breve irei ao encontro de meu pai para lhe anunciar a minha decisão, já que partiu dele dar-nos o seu consentimento. Agora tenta dormir, minha querida, e liberta o teu coração do medo que te consome, pois todo este tormento irá acabar.

São estas as palavras de meu senhor, as palavras da minha salvação. E logo depois de as pronunciar, adormece como uma criança. Sinto-lhe a respiração cada vez mais pesada e lenta. Enrosco-me nos seus braços de gigante e rezo baixinho a Deus Nosso Senhor por toda a misericórdia que está disposto a conceder-me, apesar de ter vivido tantos anos em pecado. Deus é grande, Deus é o salvador de todas as almas. Ele vai salvar-me e perdoar-me. Afinal, o mundo não é um lugar tão cruel como imaginei. Em breve estarei salva aos olhos do rei, aos olhos de Deus e aos olhos do mundo. E, por uma vez, contrariando o que é de mais comum na ingrata existência das almas nesta passagem para o Eterno que é a vida na terra, o amor vencerá a vida.

Ai, como me doem na carne todos os suspiros que oiço do outro lado da porta! São como agulhas espetadas por debaixo dos dedos, que tortura! A minha senhora nos braços dele, ele que a ama acima de todas as coisas, que olha para ela como não olha para mais ninguém, e ela dando-se toda, possuída por essa força maior que é o amor! Tapo os ouvidos e gemo, desfaço-me em prantos silenciosos que ninguém vê, enterro a cara na almofada e cubro-me de mantas no meu catre para não os ouvir, mas a meio da noite eles tornam a possuir-se e acordo como quem mergulha num pesadelo, e é então que cravo as minhas unhas nas minhas partes mais íntimas e aperto os bicos dos meus peitos até sangrarem, porque sei que a dor afasta a dor e que o meu amor pelo infante é ainda mais proibido do que o amor de D. Inês por ele.

E que palavras trocaram para que D. Inês de pronto passasse do pranto ao riso? Que lhe disse D. Pedro ao ouvido que a fez tão feliz?

Há muito que desejo o infante, desde o instante em que o vi pela primeira vez, no dia do casamento com D. Constança Manuel, na Sé de Lisboa, vai para quinze anos. Acompanhei tudo da vida dos dois, assisti ao interesse forçado do infante pela sua legítima e à forma fria e vazia com que esta lhe retribuía o afecto, pois são assim os arranjos de Estado, quase nunca de acordo com os desejos do coração. E fui eu que presenciei em segredo, escondida atrás de reposteiros e de arcas, as visitas secretas de D. Pedro à câmara de D. Inês. Assim como fui eu, desatada de língua quando é de meu interesse, quem, através de Blimunda, a anã, sua serva mais fiel, fez chegar aos ouvidos da rainha D. Brites o que se passava.

Finalmente, fui eu mesma quem pediu a D. Constança que me enviasse como emissária a Albuquerque. Queria saber qual a verdade e o alcance das intrigas que corriam na corte acerca das visitas frequentes de Pedro ao castelo da condessa de Albuquerque, do qual se avistam as terras de Portugal, pois já nesses tempos o meu coração batia mais depressa pelo herdeiro do trono, mas esse é o meu maior segredo e se há alguém que prima pela arte de dissimulação, sou eu.

Constança cuidou que o fazia por generosidade, pobre alma! O seu pensar, toldado pela devoção a Nosso Senhor Jesus Cristo, nunca permitiu que ela visse a verdade diante dos olhos, e tantas horas por dia ajoelhada no seu genuflexório trouxeram-lhe fraqueza às pernas e ao entendimento. Foi preciso a rainha D. Brites dizer-lho cara a cara para que a pobre ingénua se apercebesse daquilo que se passava na câmara ao lado da sua.

Agora que penso nisto tudo, acredito que Constança nunca quis ver a verdade; preferiu ignorá-la para não ter de a enfrentar. O pior cego é aquele que não quer ver e Constança sempre foi cega pela sua fé, o amor que dedicou a Cristo toldou-lhe a visão do mundo para sempre. Acredito por isso que se entregou à morte sem resistência, por sentir que a sua vida no Reino dos Céus seria melhor do que a terrena. Há almas assim, que descem ao mundo sem nunca a ele se entregarem, e que, por isso mesmo, são chamadas por Deus ainda na flor da idade.

Nasci nas terras da Galiza e ainda nem caminhava quando perdi minha mãe. Cedo fui viver para Peñafiel e ali fui criada para servir a D. Constança Manuel, sob a mão generosa de seus nobres pais. Nunca recebi carinho de ninguém, mas também nunca ninguém me maltratou. Na verdade, sempre me viram como uma peça muito pequena de uma grande estrutura, nunca ninguém me perguntou se esta era a vida que queria e se era feliz, o meu papel sempre foi servir a minha senhora, quando éramos as duas ainda crianças, e por isso cresci sem desejos nem ambições maiores do que o bem-estar daqueles que sirvo. E foi por esperar tão pouco da vida que aguentei sem um queixume o cativeiro da minha senhora em Toro, consolando-a o melhor que podia, rezando a Deus todos os dias para que tivesse misericórdia das nossas almas e nos libertasse de tal tormento.

Fui fiel a D. Constança como sou agora fiel a Inês, embora respeite mais a dama do colo de garça do que a defunta, por ter com ela mais parecenças no sentir e no pensar. Constança era de uma secura de alma que não sei explicar. Vivia mais para Deus do que para os homens. E depois da morte do infante D. Luís, só encontrava paz na clausura. Nem sei mesmo como D. Pedro conseguiu conceber o infante Fernando. Foi a mão de Deus por certo, para que Portugal não ficasse sem herdeiro legítimo.

Mas o infante nunca a amou, não porque o tivesse querido, mas também porque Constança nunca foi uma mulher que soubesse ou quisesse usar os seus atributos para atrair os homens. D. Inês, porém, é um animal de sedução. Com ela aprendi sobretudo o que a minha senhora nunca me quis ensinar. Muitas noites os espiei pela fechadura para entender as artes da alcova nestes últimos anos em que partilham o mesmo tecto, tal como fazia há mais de dez anos, em Lisboa, quando o amor que viviam era ainda um segredo. É este o meu único vício e dele me envergonho, rezando o Credo e uma dúzia de *Pater Noster* todos os dias e seviciando-me em segredo, para logo depois voltar a cair no pecado da luxúria, não resistindo a espiá-los, apesar da dor dilacerante que me dá vê-los juntos.

Deus deu-me discernimento para saber qual é o meu lugar neste mundo e quanto valho: sou apenas uma aia, e se tenho comida, tecto e protecção, é porque Inês é uma dama generosa e confia em mim. Afinal de contas, a minha missão sempre foi servir damas de linhagem superior à minha e só aprendi a ler porque D. Inês teve a bondade de me ensinar. A minha senhora ainda quis que aprendesse a escrever, mas as minhas mãos não respondem como os meus olhos e tudo o que consegui aprender foi a alinhar as letras que perfazem o meu nome, nada mais.

Não possuo traços finos nem cabelos sedosos. O sangue galego misturado com mouro deu-me uma boca demasiado grande, os meus lábios carnudos assemelham-se aos de um bode e os meus olhos escuros e saídos lembram os de um peixe. Nunca me cresceram as pestanas com graciosidade para que fossem notadas e, no entanto, tenho as sobrancelhas grossas que me carregam o semblante. A minha pele não é pura nem alva como a de D. Inês, nem morena e brilhante como a de Remédios, a serva moura que esconde de todos a sua verdadeira origem. Aquilo que vejo ao espelho é pele de cor mortiça e acinzentada, por vezes semelhante ao tom do pêlo dos ratos que correm livres pelos campos.

Contudo, Deus deu-me um corpo forte e robusto. Tenho seios grandes e pesados, ancas de boa parideira, coxas roliças e pernas torneadas, o olhar dos homens não passa pelo meu corpo sem nele se demorar. Cobiçam-me os peitos, que gosto de exibir discretamente, como se o fizesse sem querer. E nas minhas partes baixas arde-me o fogo do desejo desde menina, por isso aprendi muito cedo a satisfazer-me em segredo, com a ajuda das minhas próprias mãos ou de vegetais que roubava à cozinheira quando ia buscar refeições para D. Constança, como agora para D. Inês.

Ninguém conhece a vida secreta das mulheres. Somos tão fogosas quanto os homens, e estou certa de que muitas de nós o são ainda mais, pois entre os machos não raro paira a maldição de não conseguirem sequer erguer o membro. Alguns só alcançam o seu estado pleno se estiverem embriagados, privando com outros homens ou abusando da inocência de crianças. Deve ser por isso que alguns nutrem por nós um ódio tão profundo e visceral, porque não precisamos de provas físicas para mostrar que somos capazes de sentir prazer. Tudo se passa nas nossas entranhas e essas ninguém as pode ver, nem mesmo o Altíssimo em toda a sua omnisciência.

Comandamos o mundo porque sabemos fingir tudo: que amamos quando sentimos asco, que não amamos quando ardemos em desejo, que temos prazer sem ter, que sofremos quando estamos a ser abusadas, mesmo que daí tiremos algum prazer. Conseguimos fazer crer que estamos prenhes sem estar, sabemos como nos livrar dos filhos indesejados e fazer com que isso pareça um acidente, sabemos calar-nos quando a sensatez o manda e espalhar as intrigas quando é de nosso proveito.

Somos nós que costuramos e que cozinhamos e, por isso, se quisermos envenenar alguém, sabemos como fazê-lo através da comida ou dos panos. Somos nós que amamentamos os homens quando eles nascem e eles precisam de nós para sobreviver. E somos nós que os geramos, que os parimos, que damos seguimento aos seus sonhos e ambições de sucessão. Somos as rainhas dos nossos lares, as senhoras dos nossos catres e dos nossos castelos. Sabemos agradar tão bem quanto desprezar. Conhecemos as fraquezas dos homens e fazemo-nos tontas perante eles para que os possamos manobrar melhor, como se manobra o boi no arado ou o cavalo montado.

Sabemos em que dias podemos emprenhar e como contar as luas para enganar quem pretendemos. E quando ficamos à espera de um filho, apenas nós sabemos quem é o pai. Não admira por isto tudo que os homens mais astutos e mais sábios nos temam tanto. Nós somos as grandes feiticeiras do mundo, as senhoras do poder mais forte que é o poder do desejo, comandado pelo pecado mais perigoso, o da luxúria. Os filhos respeitam-nos e os homens temem-nos, mas ninguém nos entende, porque somos seres complexos, dúbios, dissimulados. Numa palavra, somos mulheres.

D. Inês tem-me como sua aia há mais de dez anos e, no entanto, nem sequer suspeita do meu amor pelo infante. Cuida que não sou dada aos prazeres da carne, a pobre coitada! É certo que a amo e respeito como minha senhora, mas tal devoção e fidelidade não me impede de desejar o mesmo homem que ela. É um fogo consumado em sonhos silenciosos que morre fora da minha câmara, pois o infante nem sequer suspeita, embora o seu olhar já tenha parado mais do que uma vez no rego dos meus seios fartos, sem que D. Inês o tenha notado.

Não tenho ambições a que o infante me possua, mas se um dia assim ele o quiser, serei por ele tomada com todo o prazer e sem reservas. Todas as noites formulo esse desejo tão distante quanto impossível, esperando que um dia tal sorte me bata à porta. Bastava a minha senhora morrer... Que Deus Nosso Senhor Jesus Cristo, o Pai, o Filho e o Espírito Santo me perdoem por estes pensamentos cruéis que me trespassam o espírito como lanças envenenadas! Quão amargo é o sabor do ciúme... Não desejo a morte da minha senhora, mas sei que se isso acontecer, o infante ficará destroçado e o seu pobre coração, que não mais deixará de sangrar, irá precisar de uma outra mulher. E essa mulher só posso ser eu, porque em mim o infante confia como se houvera sido sua ama de leite.

Há muito que a minha senhora teme a morte. Depois da visita de Gonçalo Vasques, ficou claro para todos que, ou o infante se casa com ela, ou o rei irá tomar medidas drásticas, se não se der o caso de já as ter tomado.

Quando estávamos na corte, em Lisboa, já Diogo Lopes de Pacheco, Álvaro Gonçalves e Pêro Coelho conspiravam contra D. Inês, por ser muito bela, por arrebatar o infante e por ser a grande embaixadora dos seus irmãos Castro junto do herdeiro. Mas nesse tempo tudo se passava sob o mesmo tecto, os homens de confiança de el-rei sabiam o que ali era feito e dito. Pacheco, o mais velho e o mais hábil,

controlava todas as intrigas que circulavam, dando dinheiros do seu próprio bolso à criadagem, à revelia do próprio
rei. Cada senhor que alcança o poder tem as suas próprias
artes e manhas, primeiro para o conquistar e depois para
o manter. É de todos o mais dissimulado, o que faz dele o
mais perigoso. El-rei segue sempre os seus conselhos, pois
o homem tem essa arte tão feminina de conduzir a conversa
de modo a que saia da boca do rei aquilo que ele quer que o
monarca faça, cuidando sua alteza que teve a ideia, quando
foi o seu conselheiro que desse modo o instigou.

Há qualquer coisa de pérfido num homem que usa artes
de mulher para chegar onde quer. Mas o pior de todos é o
escudeiro-cão de nariz pequeno e voz suave que o infante
tanto estima e que D. Inês tanto despreza. Por ser o menos
valente, é o mais poderoso junto do infante. Usa a táctica
da submissão total, que só agrada aqueles que são fracos
de espírito.

O infante é forte de braços, de membro e de espada, mas
nem sempre pára para pensar, e quando o faz, nem sempre
escolhe o melhor caminho. Não consigo entender porque
não faz de D. Inês sua esposa, pois se a ama tanto, se é ela
a única dona do seu coração, se desse amor já nasceram
quatro filhos, e quanto mais tempo passa, maior é o amor
por ela!

D. Inês merece protecção, merece ser rainha, porque o
resgatou da sandice, das trevas e das tentações carnais de
outros homens, porque lhe deu paz e uma vida de família.
E como retribui o infante? Não lhe dando o que ela mais
precisa para se manter viva. A não ser... ai, o meu coração

diz-me que é isso, sim, é isso mesmo, o infante tomou enfim a decisão de se casar com a minha querida senhora. Parece-me agora que, antes de D. Pedro abandonar o catre, ouvi palavras trocadas entre eles, que anunciavam isso mesmo. *Todo o reino se vergará à tua beleza*, disse o infante. *E todos te beijarão a mão.* Isto quer dizer que D. Inês será rainha.

Retiro-me do posto de vigia secreto, uma frecha na porta lateral que separa a minha câmara da alcova da minha senhora. As pernas tremem-me de emoção. É verdade que desejo o infante, mas é à minha senhora que o meu coração pertence. As emoções confundem-me os sentidos, não sei o que pensar nem o que sentir. Quero o bem a D. Inês e a seus filhos como se meus fôssem, o desejo que tenho pelo infante é só mais uma forma do Demo me tentar com as suas manhas, tenho de ser mais forte, tenho de usar da virtude e com ela combater o vício, se não, no dia do Juízo Final, o Criador não me irá absolver.

Com todos estes pensares passei a noite em claro. Oiço o infante a levantar-se, a vestir-se e a sair da câmara onde dorme com D. Inês. O ruído das patas dos seus dois cães, *Baleia* e *Touro*, acompanham as suas passadas. Está de abalada, de novo para a caça. Oiço-o chamar por Clara, ordenando que acorde João, o primogénito, para que este o acompanhe. O choro mimado do pequeno Dinis desperta-me os sentidos. Também quer partir com o pai. Clara acalma-o. De novo o silêncio, a ama de leite deve ter conseguido sossegar o petiz.

A voz do infante ouve-se agora lá em baixo. Está a pedir fruta fresca aos criados e um pouco de leite de cabra com mel e um farnel para a jornada. Depois ordena a Afonso

Madeira que fique no Paço e que guarde D. Inês e os seus filhos. Contenho-me para não descer a escadaria e o fitar, não fosse o infante perceber o quanto o desejo. Faço-o por respeito a D. Inês, por toda a amizade e confiança que sempre depositou em mim, sem nunca suspeitar que afinal amamos o mesmo homem.

Nem eu mesma entendo porque desejo tanto este gigante de barba ruiva e olhos faiscantes, se nele reconheço defeitos de carácter tão graves, mas deve ser isto a paixão cega, o desejo descontrolado, esse mistério que invade o sangue dos homens e das mulheres qual emissário do Demo, essa força a que chamam amor. Estimo a minha senhora e tudo farei para a proteger, mas quem amo é o infante. É por ele que o meu coração bate mais depressa. Quem sabe, um dia, os meus desejos não se tornem realidade? Afinal, também sou uma mulher, por isso rezo para que Deus também me venha a conceder a graça de viver uma história de amor, ainda que breve e fortuita, com aquele que é desde sempre dono do meu coração e a quem, secretamente, me entrego em sonhos há tantos anos...

E, quem sabe, se assim Deus o quiser, germine de meu ventre ainda casto um fruto em forma de gente que venha a servir o reino de Portugal.

Último Dia

Outro dia verás que te amanheça
Mais claro, e mais ditoso: em que a coroa,
Que t'espera, terás sobre esses teus
Cabelos d'ouro. Alegra-te entre tanto.
Deixa vãs sombras, deixa tristes medos.

António Ferreira, *A Castro*

Estarei outra vez a sonhar? Pedro já se levantou e partiu de novo, ou repousa ainda a meu lado? Os lençóis estão encharcados de suor, apesar do frio. Estarei com febre? Onde está o meu amado? Não oiço nada, uma neblina espessa passa pelas frinchas da janela e invade a câmara. Silêncio, vazio e medo tolhem-me como uma corda. Somente o gorgolejar distante dos meus filhos, misturado com a voz serena de Clara, empresta magro conforto ao meu corpo esgotado e à minha alma esvaída.

Onde está a minha aia Teresa? Chamo por ela mas não me responde. Já me levantei para me despedir de Pedro hoje, ou foi tudo um sonho?

A noite passada, ele a subir as escadas e a possuir-me em fúria, terá sido verdade ou é a minha imaginação a delirar com o que mais desejo, como se de uma febre se tratasse? Arrepios de frio percorrem-me a espinha, estou suada, sim, pode ser febre. As ondas de prazer, os beijos, as carícias, a boca dele no centro do meu corpo, a minha a devorar o membro dele, o peso dos seus braços nos meus ombros, o seu corpo esmagando o meu, tudo isso aconteceu na realidade, ou foi só mais um desvario do meu espírito enfraquecido, tragado pelo medo, paralisado de terror?

Pedro disse-me que seríamos finalmente marido e mulher, ou foi apenas um sonho?

Lembro-me de chorar em seus braços e de lhe pedir que pousasse a sua mão em meu ventre, mas será que lhe anunciei a chegada de mais um filho, ou cuidei tê-lo feito sem que na realidade lhe tivesse dito algo sobre isto?

Não sei mais onde acaba a realidade e começa o sonho, estou perdida no meu próprio labirinto, presa pelas sombras do medo e da incerteza. Será isto que sentem os loucos quando o tino os abandona? Se for, quero que acabe depressa, pois não saber o que é verdade e o que é mentira é uma dor tão forte que acabará por me matar.

Estou em crer que já me levantei esta matina, nas não tenho a certeza. Arde-me a testa, tenho a visão embaciada e as pontas dos meus dedos perderam força. Mal sinto as pernas. Lembro-me agora de que já me levantei e do pavor que senti quando *Touro*, o cão mais feroz de Pedro, correu em minha direcção, espumando de raiva, como se fora enviado pelo Demo, pronto para me matar. E lembro-me de Pedro erguer a espada e degolar o mastim a meus pés, salpicando de sangue o meu saiote. Eu transida de medo, o sangue a fugir-me da cara, a ver a minha morte nos olhos da besta, depois morta sob os meus olhos. Pedro abraçou-me, eu desfiz-me em soluços convulsos, em pânico, como se fosse hoje o Dia do Juízo Final.

E que mais se passou nesta matina cerrada? Recordo, parece-me, Pedro em debandada, montado no seu cavalo branco,

rodeado dos seus homens e do pequeno João, e o seu escudeiro preferido a voltar para trás por ordem do infante.

Porque voltou esse cão servil para perto de mim, se tanto
Pedro como ele sabem que o detesto e que a sua presença me
incomoda de tal modo que tudo faria para que ele morresse
antes de mim?

Vejo o estafermo a rir-se para mim — ou será que se ri de
mim? — e a pedir-me que volte à minha câmara, que descanse
um pouco no meu catre, enquanto ele fica de vigia, velando
pela minha segurança.

Onde estão o meus anjinhos? Já não os oiço, talvez Teresa
os tenha levado à igreja, a missa celebra-se cedo, também eu
devia ter ido, desde a missa do primeiro dia do ano que só fui
mais duas vezes, certamente a abadessa terá dado pela minha
falta. Não queria falhar aos meus deveres de boa cristã, mas
estou exausta, a noite de ontem deixou-me sem forças e sem
tino, aplacada de dor e de prazer pela força bruta do meu
amado que agora partiu. E também nunca mais me entreguei
à confissão, o capelão já deve ter comentado com a abadessa
Cardona a minha ausência prolongada, mas não tenho forças
nem vontade e acredito cada vez mais que os meus pecados
são inconfessáveis. Quem me dera poder confessar-me à abadessa, talvez ela, com toda a sua misericórdia e grandeza de
alma, me absolvesse. Mas a Igreja não dá às mulheres tal poder, decerto por medo da nossa generosidade natural para
com o próximo. É mais próprio da natureza feminina perdoar
os pecados da carne porque os sentimos nas entranhas. Os
homens, esses, dividem-nos em dois mundos, o das puras e o
das meretrizes. Nós sabemos que no fundo somos sempre um

pouco das duas, por isso julgamos com os sentimentos, como fez o rei Salomão, e não com as normas, e deve ser por isso que os homens não nos querem perto de qualquer espécie de poder.

Ajoelho-me no oratório da minha câmara para rezar o Credo e o *Pater Noster*, implorando perdão a Deus, tentando afastar do meu espírito os sentimentos de revolta em relação a este mundo injusto e cruel. Os meus joelhos rangem com o peso do meu corpo, agora mais redondo nas ancas e no ventre, prenúncio quase certo de que Pedro terá mais um filho. A minha cabeça está presa num torno gigante, mal consigo abrir os olhos, dói-me o corpo todo por dentro e por fora, dói-me a alma, ou o que resta dela, sinto que a qualquer momento ela me pode fugir, o medo é agora o grande senhor do meu espírito.

Porque tenho ainda tanto medo, se Pedro ontem me jurou que íamos casar? Quando for a sua mulher legítima, ninguém ousará atacar-me. Oh!, meu Deus, acabai depressa com esta agonia, livrai-me do medo e dai-me uma vida decente, servindo a Pedro como sua esposa, como sempre fiz! Perdoai-me os pecados cometidos, foi por amor, Senhor, foi por amor, e eu sei, do alto de Vossa misericórdia e sabedoria divinas, que Vós perdoais os pecados cometidos em nome dessa força maior do que a vida, pois não foi por amor aos homens que morrestes na cruz? E não foi por Vossa vontade que escolhestes o sacrifício supremo para nos salvar de todo o mal?

O que é isto? Tropel de cavalos em fúria à minha porta? Oiço vozes grossas e hostis, o ruído de portas que batem, alguém entrou na minha casa, alguém que não se fez anunciar, que não foi convidado e não faz cerimónia.

Oiço-lhes os passos decididos e ferozes, adivinho-lhes os rostos sisudos, entre eles está o mais temível, o mais fechado, o mais forte de todos, é el-rei que vem a minha casa, finalmente, quem sabe se para conhecer e saudar os netos cujos rostos nunca quis ver antes.

O que fazem em minha morada todos estes homens? E porque vem com eles o bispo do Porto, D. Pedro Afonso?

Onde está Pedro? Porque partiu o meu amor hoje de novo, depois de tão longa ausência? Que javardo pode ser mais importante caçar por esses montados afora do que a minha companhia? E porque ficou só uma noite? Apenas para me ter como sua mais uma vez? Para me fazer promessas e logo me abandonar ao destino cruel e incerto que acelerou os passos da minha vida e me faz correr sem poder fugir à morte certa que me espera?

Oiço ao longe ofícios de Requiem. Porque cantam as monjas uma missa de morte? Estou viva ainda, Senhor Deus, a minha carne ainda não arrefeceu, a cabeça mantém-se presa ao corpo.

Mas eis que três homens vestidos de negro se aproximam. Estão encapuçados, dois carregam um cepo, o terceiro traz uma espada. Nunca vi uma espada igual, é enorme, reluzente, movimenta-se sozinha no ar, como se tivesse vida própria. Os meus filhos correm para as minhas saias, gritam e choram, Clara, Remédios e Teresa choram e gritam também, Teresa agarra as mangas de Pêro Coelho, que a sacode como se fosse um cão.

El-rei fala-me. Diz-me que tenho de morrer. Os seus homens completam-lhe o discurso, porque falta ao monarca a vontade e a certeza de cumprir com a sentença. Peço-lhe misericórdia em nome dos meus filhos.

— O meu único crime foi amar vosso filho, dar-lhe a paz e o carinho que tanta falta lhe fizeram em pequeno — digo-lhe. E ouso, já cega pelo terror da morte, perguntar-lhe porque nunca o amou, porque nunca o aceitou como ser humano imperfeito e variável, já que Pedro é o seu único filho varão ainda vivo.

El-rei afasta o assunto com um gesto de impaciência. Responde que não é Pedro que está aqui em causa, mas eu e todo o mal que trouxe ao reino. Diz-me que não pode suportar mais as afrontas que lhe faço e o perigo que represento por via de meus irmãos e de meus filhos.

— Não sei de que falais, alteza. Sou apenas uma mulher, o meu sentir sempre foi mais forte do que o meu pensar, e o meu coração sempre pertenceu a vosso filho. Se algum pecado cometi, além do da luxúria, foi o de confiar sempre em vosso bom coração e no da senhora vossa rainha, D. Brites. Sempre amei e respeitei a Pedro, partilhando com ele as boas e as más horas, de nada sei das intrigas políticas em que os vossos homens insistem em me enredar. Não me confundeis com meus irmãos, pois eles não usam saiotes e não passam os dias a bordar e a ler como eu. Acusais-me de traições quando a minha única traição é a Deus, por não estar casada com Pedro.

Perco o fôlego. Que mais posso dizer em minha defesa, se el-rei já decidiu a minha triste sorte? O monarca abana a cabeça num misto de desagrado e de consternação, cofia as cãs e retoma a sua fala.

— Sabes, sim, mulher sem moral e sem princípios. Sabes bem que os teus olhos claros são máscara de um espírito turvo e que a tua beleza, esse teu colo de garça, que deixa os homens incapazes e que enfeitiçou meu filho a ponto de pôr em perigo a sua própria vida e a independência do reino, não é mais do que um poço de luxúria e de pecado. E por isso terás de morrer agora, galega cega e ambiciosa. Prometo poupar a vida a teus filhos se te entregares à morte com dignidade. A rainha irá encarregar-se da educação deles, afinal são meus netos, nunca lhes poderia fazer mal. Mas tens de entender que Pedro de Castela, que teus irmãos querem aniquilar, usando o meu filho como Razão de Estado, também deve ser protegido por mim, pois se desejas que poupe a vida a teus filhos, porque não entendes que não posso permitir que queiram matar o meu outro neto, esse sim, legítimo herdeiro e agora rei de Castela, filho de Maria? Já bem basta o sangue que correu ao longo de tantos anos, todas as andanças e esforços que fiz para manter o meu reino na paz e fazer com que ele prosperasse, apesar da peste, apesar dos anos de más colheitas, apesar do medo que o povo ainda alimenta dos castelhanos e dos sarracenos, apesar de tudo! Estou cansado, bela Inês, a minha paciência esgota-se a cada instante; se não morreres agora, o meu reino corre grandes perigos, maiores do que tu e eu podemos imaginar. O pequeno Fernando pode morrer, tantos que não podem lutar já foram envenenados por esse mundo fora, e se tal desgraça se der, teus filhos receberão o trono de mão beijada e seus tios logo se irão ocupar em fazer a guerra e desgraçar Portugal. Tu és a fonte de toda a discórdia, não percebes isso?

— Mas, senhor, eu só quero viver em paz com o meu esposo e os meus filhos — respondo, chorando sem parar.

— Esposo? Qual esposo, mulher sem dignidade? Acaso sabes quantas vezes pedi a Pedro que se casasse contigo para acabar com esta pouca vergonha? Em vão lhe citei a Epístola do apóstolo S. Paulo aos Coríntios que proclama *se alguém, transbordando de paixão, não consegue respeitar a noiva, e que as coisas devem seguir o seu curso, faça o que quiser, não peca, que se casem.* Em vão, tudo em vão. Sabes o que fez o teu amado, esse homem por quem tu darias e vais dar a tua vida? Recusou desposar-te, esse doido, recusou a sorte que lhe propus. Não sabe pensar, não sabe decidir, é um incapaz, um doente, um gago, um colérico desenfreado, um irresponsável que só faz o que lhe passa pela cabeça sem tino nem critério. O amor despreza todos os perigos, e meu filho é tão néscio que nem sequer sabe que aqui estou e ao que vim. Julga-te protegida pelo seu fiel escudeiro, quando foi ele quem me ajudou a planear a tua execução, incitando Pedro a partir hoje cedo, ficando para trás, não para te proteger, mas para me abrir a porta.

O rei respira fundo, passa uma mão pela testa enrugada e continua a ditar a minha sentença de morte, sem que nada eu possa fazer ou dizer.

— Basta de desatino. É a política dos estados que determina os matrimónios dos príncipes e não o que lhes passa pelo coração. Estou farto de dar razão aos meus conselheiros, agora só me resta cumprir a sentença que te ditei por conselho sábio de homens que amam Portugal e que tenho a sorte de ter a meu lado. Pensei muito, Inês, pensei se ao te mandar matar não estaria a ser injusto, mas injusto é aquele que perdoa uma pena justa e cabe-me defender o reino, sua moral e seus costumes de gente de bem, gente que teme a Deus e respeita os princípios da Igreja, gente de fé e de crenças que não tolera a desvergonha e o desrespeito às leis de Nosso Senhor. O exemplo que vem de cima é o que melhor frutifica. A honra do rei é a honra da nação e o povo faz causa comigo e com meus conselheiros. Não posso mais permitir esta vergonha sob as minhas barbas, o povo respeita-me e ama-me porque sou um bom rei, há trinta anos que sou um rei justo e o povo também te quer ver morta, Inês. Chamam-te a estrangeira, a ruça que quer roubar o reino e entregá-lo aos castelhanos. E fica sabendo que, sendo eu rei por vontade divina, tenho tanta licença de matar quanto o Criador que reina nos céus e na eternidade. Eu sou o representante de Deus e do povo que governo, eu sou o próprio reino. Portugal é o meu povo, um povo com fé na guerra quando tem de ser feita, na justiça quando é para ser cumprida, na crueldade quando esta evita erros maiores, no amor mas apenas quando é puro, e o teu amor, que apregoas como tal, não passa de um disfarce para alcançares os teus intentos. Tu sabes muito mais do que aquilo que dizes, pois afinal és uma Castro e corre no teu sangue a mesma cobiça de poder que domina os teus irmãos. Sabes tu por que razão meu neto Pedro se casou há pouco tempo com a tua irmã? Para que teus irmãos ganhassem mais poder em Castela. E depois, como cínicos e falsos que são, quando ele a repudiou, tomaram o partido da primeira mulher de Pedro, Branca de Bourbon, que ele há muito abandonou, decerto vítima do feitiço que María de Padilla lançou sobre ele. María de Padilla é mais uma cabra gananciosa, mais um ser das trevas, decerto filha do Demo e sem temor a Nosso Senhor Deus Jesus Cristo. São mulheres como ela, como Leonor de Guzmán, que desgraçou a minha filha, e como tu, que fazem com que os homens se desgracem e se matem uns aos outros por nada!

O rei está fora de si, os seus olhos são como raios e as suas mãos agitam-se enquanto fala. Meu Deus, ajudai-me neste momento de aflição, dai-me voz e palavras de justiça para me poder defender. Mas a minha garganta está muda, já não consigo lutar contra o poder e a força de el-rei.

— Há vinte anos fui obrigado a declarar guerra a Afonso de Castela, meu genro, por maltratar a minha filha Maria, e sabes o que aconteceu? A minha santa mãe, de quem já me disseram seres tão devota, montou-se na sua mula e viajou até Estremoz, já muito velha a gasta pela vida, com sessenta e seis anos, para mediar a paz entre nós, acabando por morrer aí mesmo. E sabes tu que hoje mesmo, dia 7 do primeiro mês do ano, faz trinta anos que morreu el-rei D. Dinis, senhor meu pai, que preferia os bastardos aos legítimos? Onze anos depois a minha santa mãe morreu de peste, esse mal que Belzebu lançou na terra para ceifar tanto santos como pecadores. Não entendes que estou exausto de tanta luta e de tanta intriga, Inês de Castro?

— Eu sei de tudo isso, nobre rei, e também eu sou devota à senhora sua mãe, por todo o bem que espalhou no reino, a ela dirijo as minhas preces, a ela peço protecção — respondo com a voz entrecortada de pânico, de suores frios e de lágrimas, que são como duas feridas abertas das quais escorre sangue sem que nada possa fazer para as estancar.

— Pensas que as tuas lágrimas me tocam, galega falsa e ambiciosa? Tu não mereces sequer pronunciar o nome da minha mãe. Estou farto das tuas manhas e do poder que tens sobre meu filho. Dizem que ele te teme. Ora, se assim o é, Pedro é ainda mais tonto do que cuidei. Um rei até pode ter medo dos homens, mas nunca de uma mulher. Tu vais morrer em nome da paz e da segurança de um reino de homens fortes que nasceu da luta e que, apesar de pequeno, nunca deixou de mostrar a sua sanha de bravura perante o inimigo. Não me julgues malévolo ou vingativo, procuro apenas proteger aquilo que é para mim mais sagrado: o reino de Portugal e a sua moral. Tu não mereces viver, não mereces respirar o mesmo ar que eu respiro, a tua vida é para Portugal um empecilho, um grande problema. Tu és como a peste, e se não há remédio para tal fatalidade, porque alastra pelos corpos sem que possamos ver os seus passos, já os teus são do conhecimento de muitos: tu juntaste sob o mesmo tecto o meu filho Pedro e os teus irmãos, aliados de Henrique da Trastâmara, esse cão ranhoso, filho da Guzmán, que quer destronar e matar Pedro de Castela! Tu deixaste que os teus irmãos enchessem a cabeça fraca de Pedro com ambições vis e desmedidas! Basta!

— Senhor, repito, de nada sei do que falais. Sou apenas uma mulher, já vos disse, e foi como mulher dedicada que vivi, servindo sempre vosso filho, dando-lhe filhos e uma família, tratando das suas feridas, ouvindo suas queixas e desabafos, servindo-o com todo o meu coração. E agora pago com a minha vida todo o amor que lhe dediquei e todo o bem que lhe fiz. A minha morte em nada vai trazer paz a vosso reino, senhor, pois temo que Pedro, cego de dor e de fúria, contra vós se revolte.

— Disso darei eu conta, ou estás esquecida de que ainda sou o rei de Portugal? E agora podes rezar as tuas últimas preces e receber a extrema-unção de D. Afonso Pedro, bispo do Porto, que aqui veio por minha ordem para te ajudar a partir para a vida eterna. Que Deus Nosso Senhor e o Divino Espírito Santo tenham piedade da tua alma e a recebam no Reino dos Céus.

Os dois homens que me agarram empurram agora o meu corpo, obrigando-me a avançar para o cepo.

— Meu senhor, sei agora que vou morrer, mas rogo-vos que aceiteis vosso filho Pedro como ele é, não mais o desprezeis, pois vossa indiferença fez dele um homem ferido e magoado. É verdade que Pedro é colérico e gago, mas Moisés também era gago e, no entanto, libertou os judeus e guiou-os de volta para a Terra Prometida. Pedro é melhor do que pensais, um dia será um rei justo como vós sois. Por favor, poupai-me à morte, não porque a tema, mas porque o dano que ireis causar no coração de vosso filho será como uma ferida que nunca verá a cura, e não será por meu desaparecimento que guerras e lutas serão evitadas neste reino.

Continuo a falar, mas el-rei já não me ouve. Pêro Coelho, Álvaro Gonçalves e Pacheco, *o Monstro*, fitam-me com olhos de metal. O carrasco aproxima-se. Os meus joelhos cedem ao terror e caio no chão. Os homens encapuçados pegam-me por debaixo dos braços e empurram a minha cabeça para cima do cepo. Porém, antes de a apoiar, puxam-na para trás e o bispo aproxima-se, desenhando o sinal da cruz nos meus olhos, narinas, ouvidos, boca, depois em minha mãos, atadas atrás das costas aos meus pés. Oiço a ladainha da extrema-unção, *que Deus te perdoe por tudo o que fizestes de mal...*

O meu olhar turva-se e os meus gritos cessam.

Frio, vazio, medo e silêncio. E depois, já não sinto frio nem medo. Na verdade, não sinto nada. A minha alma está livre e voa como um pássaro para outro lugar. Vejo o meu corpo despedaçado lá em baixo, Clara, Remédios e Teresa chorando sobre ele. E também os meus queridos filhos, Dinis e Beatriz, gritando como loucos, pobres almas agora órfãs, entregues à má sorte de um avô cruel. El-rei e seus homens saem sem olhar para trás, cruzando-se com a abadessa e algumas monjas que correm para a poça de sangue que se alarga em volta do meu vestido.

O meu olhar perde-se agora no vácuo, para logo a seguir se clarear em visões estranhas, horrendas e sem sentido.

Vejo Pedro com outra mulher em seus braços, os seus corpos amam-se com violência e paixão. Não, não pode ser, é Teresa Galega, a minha Teresa, como pode ele fazer-me isto? E ela, que se dizia a minha melhor amiga, a única em quem confiava? Não pode ser, não é possível, Deus não pode ser bom ao castigar-me de forma tão perversa. Vejo o seu ventre a crescer, um varão irá nascer dessa união breve e funesta, vejo esse rapazinho, ruivo e forte como seu pai, a ser orde-nado mestre de Avis, tão pequenino ainda! Quem será este rapaz e que desígnios Deus terá guardado para ele? Será um dia rei de Portugal?

Vejo o infante Fernando feito homem nos braços de uma mulher adúltera e vil, que o engana com outro homem e que, por isso, vai dar lugar ao rapaz, filho de Teresa. Sim, Fernando será rei, mas não por muito tempo, pois a ele sucederá uma nova dinastia de ínclitos e valorosos reis cujo primeiro ficará conhecido por entre todos como *O de Boa Memória*.

Tanta coisa me é dado ver num só instante... Será que ao morrermos Deus nos dá a visão do futuro? Vejo Pedro em guerra com seu pai e a rainha a interceder pela paz, tal como a sogra santa lhe ensinou, vejo Pedro a chorar, vejo o rei morto e o meu amado a conspirar com seu sobrinho, Pedro de Castela, o mesmo que agora quis derrotar. O que falam eles em surdina?

Agora estamos longe, na Ribeira de Santarém, vejo Pêro e Gonçalves sujos e com as vestes feitas em farrapos, de mãos atadas atrás das costas, prostrados, de joelhos, as águas do Tejo atrás deles e Pedro em frente a eles, sentado a uma mesa farta, preparando-se para iniciar um banquete, um festim, uma execução? Pacheco não está ali, fugiu vestido de frade, atravessou montes e vales até Avinhão, escapando assim à vingança do meu amado que agora é rei.

Pedro está fora de si, manda vir vinagre e alho para o coelho, depois senta-se à mesa a comer, enquanto os carrascos açoitam os condenados. Pedro grita *traidores, traidores*, ordenando aos verdugos que o coração de Coelho seja arrancado pelo peito e o do merinho-mor pelas costas, vingando assim a minha morte.

Pedro não pára em lugar nenhum, irá calcorrear o território em busca de ladrões, de traidores, de sodomitas e de mulheres adúlteras, e a todos aplicará castigos sem dó, e vejo o cão-escudeiro numa poça de sangue, perdeu os sentidos, o meu senhor, já rei, ordenou que lhe fossem cortadas as suas partes mais estimadas, Pedro fala no nome de outra mulher, Catarina Tosse, mulher casada que o escudeiro seduziu e desonrou.

Afinal, o que diziam na corte era mesmo verdade, Pedro não está a praticar justiça, está a vingar-se porque o seu cão de duas patas foi lamber a mão a outra dona, mas Pedro chora sempre, chora muito, os seus olhos já mudaram de cor por causa de tantas lágrimas derramadas em minha memória, o remorso por não me ter protegido está a matá-lo por dentro, ele sabe que foi o seu descuido que me condenou à morte, por isso quer glorificar-me, quer que o mundo me veja como sua mulher e sua rainha póstuma.

O meu amado está agora no Mosteiro de Alcobaça, vejo dois túmulos belos e imponentes, imensos, que contam as nossas vidas, vejo a minha imagem inteira em pedra, estou maior e mais bela do que alguma vez fui, sobre a minha cabeça pousa uma coroa, serei rainha depois de morta, os túmulos lado a lado, um dia irão mudar de lugar esses túmulos e vão pôr-nos frente a frente, para que, no Dia do Juízo Final, quando o Altíssimo Divino nos libertar deste inferno terreno e acordarmos desta agonia perpétua, nos possamos ver, abraçar e amar para todo o sempre.

Pedro passa os seus dias no mosteiro, é ele que diz aos artistas canteiros que histórias quer que a eternidade registe na pedra, o trabalho de cinzel que ficará nos mausoléus tem de ser tão belo e perfeito como todas as memórias que o meu amado guarda de nós. Pedro está cansado mas não pára, o meu senhor não pára nunca, continua a rondar os monges brancos da Ordem de Cister, não lhes dá descanso até que a enorme empreitada seja concluída, como se parar fosse morrer. E em minha eterna morada vejo a Anunciação, a Adoração dos Magos — serão os meus filhos o Menino que está na manjedoura? — o Beijo de Judas, no qual me parece reconhecer os traços do cão-escudeiro. Em seu túmulo, cenas da vida de S. Bartolomeu, seu santo protector, filho do rei da Síria, que seguiu Cristo e acabou por ser esfolado vivo. Mais tarde, voltará Pacheco, o *Monstro*, mesmo assim perdoado por meu senhor em fim de vida, poupado à triste sorte dos outros carrascos.

Pedro translada os meus restos mortais para o Mosteiro de Alcobaça, desenterram o meu cadáver do Mosteiro de Santa Clara onde as piedosas monjas recolheram o meu corpo ainda quente, e levam-me numa liteira por terras de Portugal afora.

Círios acompanham a minha travessia dentro do ataúde, o pranto de homens e de mulheres segue o meu cortejo fúnebre, há quem ainda me insulte em surdina mas sou já uma lenda, mais tarde trovadores cantarão a minha sorte, poetas enaltecerão a minha beleza e defenderão a minha inocência, os meus cabelos loiros serão para sempre lembrados, o meu colo de garça, o meu ventre puro e fértil, a minha triste sorte e o meu destino cruel de galega que amou sem medo e que ousou desafiar o rei e a Igreja. Por três vezes tentarão abrir o meu túmulo e só à terceira, quando os cães das terras da Bretanha invadirem o reino, daqui a muitos e muito anos, quando o Mondego tiver galgado as margens e afogado Santa Clara, só então conseguirão tocar-me, os meus ossos espalhados, misturados com os de Pedro, os meus cabelos cortados e vendidos em relicários para deleite dos mórbidos.

Serei mártir, serei amada, serei admirada, serei cantada e reconhecida, para sempre serei lembrada neste reino e em tantos outros, por ter sido bela, por ter sido sacrificada, por ter sido mulher. Pedro não voltará a casar e não mais deixará de me chorar, serei sempre sua e dona do seu coração até ao fim dos dias, até ao fim do mundo.

Peço a Deus que proteja os meus queridos filhos, rogo à rainha santa e ao meu anjo querido que velem por eles na vida e na morte que um dia os espera, que nos espera a todos, da qual ninguém escapa.

Não é tarde nem é cedo. É a hora, é a hora.

Paço d'Arcos, 5 de Setembro de 2011

D. Inês tomou conta das nossas almas.
Liberta-se do casulo carnal, transforma-se em luz,
em labareda, em nascente viva.
Entra nas vozes, nos lugares.
Nada é tão incorruptível como a sua morte.

Herberto Helder, Os Passos em Volta

Factos, Mitos e Ficção

D. Inês de Castro foi degolada no dia 7 de Janeiro de 1355 do calendário gregoriano no Paço da Rainha em Coimbra, por ordem do rei D. Afonso IV. Tinha três filhos, João, Dinis e Beatriz, e não se sabe se estaria grávida. Sete anos mais tarde, os restos mortais foram transladados para o Mosteiro de Alcobaça, acompanhados de cortejo fúnebre, por ordem de D. Pedro, O *Justiceiro*, que mandou construir os túmulos para que a sua amada e ele descansassem juntos.

As fontes históricas não são conclusivas em relação ao suposto casamento entre D. Pedro e D.Inês.

A Fonte dos Amores e a Fonte Nova, situadas perto do Paço da Rainha, já existiam no tempo de D. Pedro e D. Inês. As construções em volta da mesma são ulteriores.

O relato de que D. Pedro coroou o cadáver de D. Inês e obrigou os seus súbditos a beijaram a sua mão pertence ao conjunto de mitos criados pelo imaginário popular. As fontes históricas confirmam que D. Pedro, logo após a morte de seu pai, ignorando o juramento que lhe tinha feito por escrito de não vingar o assassínio da sua amada, manda matar Álvaro Gonçalves e Pêro Coelho em Santarém. Diogo Lopes de Pacheco, que fugira para Avinhão vestido de mendigo, regressa a Portugal anos mais tarde e D. Pedro perdoa-o.

Todas as personagens deste livro, com excepção de Guiomar, Remédios e Clara, são reais; a abadessa, Teresa Galega, o hortelão, o prior do Hospital, Afonso Madeira e os restantes homens de mão de D. Pedro, bem como os conselheiros do rei, todos fizeram parte da teia que enredou a vida de D. Inês. A presença de Afonso Madeira no Paço e o seu papel facilitador na execução de D. Inês pertencem ao universo da ficção pura.

Foi o trabalho de investigação que mais deu asas à minha imaginação já que, citando Mario Vargas Llosa, numa conferência na Faculdade de Letras da Universidade Clássica de Lisboa, nos anos 90, «enquanto historiador, sou obrigado a respeitar a história, enquanto romancista, não sou obrigado a nada».

Árvores
Genealógicas

Ascendência de D.Pedro

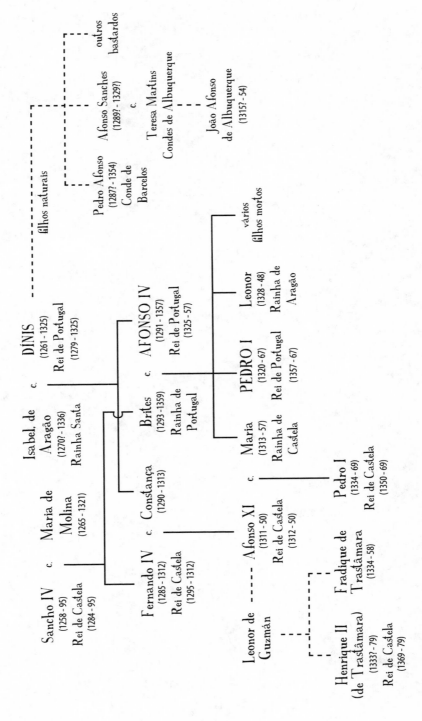

Sancho IV
(1258 - 95)
Rei de Castela
(1284 - 95)

c.

Maria de
Molina
(1265 - 1321)

Isabel. de
Aragão
(1270? - 1336)
Rainha Santa

c.

DÍNIS
(1261 - 1325)
Rei de Portugal
(1279 - 1325)

filhos naturais

Pedro Afonso
(1287? - 1354)
Conde de
Barcelos

Afonso Sanches
(1289? - 1329?)

outros
bastardos

c.

Teresa Martins
Condes de Albuquerque

João Afonso
de Albuquerque
(1315? - 54)

Fernando IV
(1285 - 1312)
Rei de Castela
(1295 - 1312)

c.

Constança
(1290 - 1313)

Brites
(1293 - 1359)
Rainha de
Portugal

AFONSO IV
(1291 - 1357)
Rei de Portugal
(1325 - 57)

c.

Maria
(1313 - 57)
Rainha de
Castela

PEDRO I
(1320 - 67)
Rei de Portugal
(1357 - 67)

Leonor
(1328 - 48)
Rainha de
Aragão

vários
filhos mortos

Afonso XI
(1311 - 50)
Rei de Castela
(1312 - 50)

c.

Pedro I
(1334 - 69)
Rei de Castela
(1350 - 69)

Leonor de
Guzmán

Fradique de
Trastâmara
(1334 - 58)

Henrique II
(de Trastâmara)
(1333? - 79)
Rei de Castela
(1369 - 79)

Descendência de D.Pedro

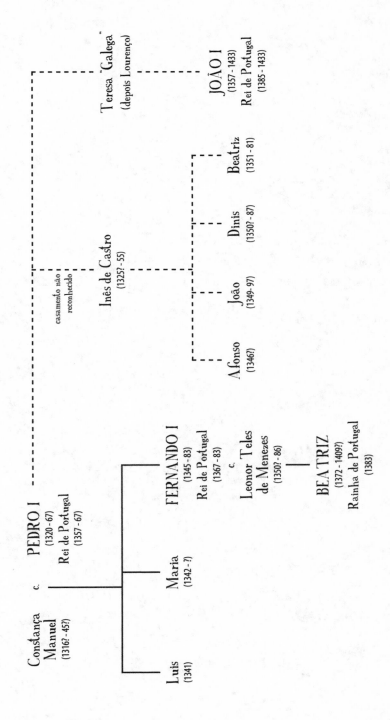

Constança
Manuel
(1316? - 45?)

c.

PEDRO I
(1320 - 67)
Rei de Portugal
(1357 - 67)

casamento não
reconhecido

Inês de Castro
(1325? - 55)

Teresa "Galega"
(depois Lourenço)

JOÃO I
(1357 - 1433)
Rei de Portugal
(1385 - 1433)

Afonso
(1346?)

João
(1349 - 97)

Dinis
(1350? - 87)

Beatriz
(1351 - 81)

Luís
(1341)

Maria
(1342 - ?)

FERNANDO I
(1345 - 83)
Rei de Portugal
(1367 - 83)

c.

Leonor Teles
de Menezes
(1350? - 86)

BEATRIZ
(1372 - 1409?)
Rainha de Portugal
(1383)

Relação de Parentesco de D.Pedro e D.Inês

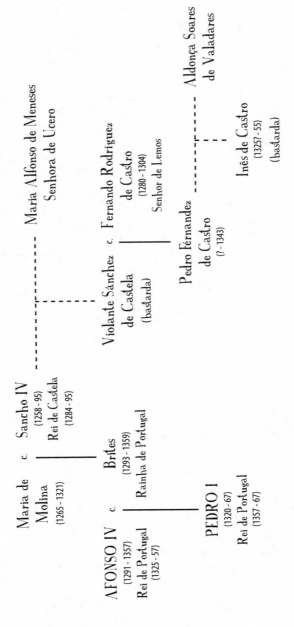

Maria de Molina (1265 - 1321) c. Sancho IV (1258 - 95) Rei de Castela (1284 - 95) ------ Maria Alfonso de Meneses Senhora de Ucero

AFONSO IV (1291 - 1357) Rei de Portugal (1325 - 57) c. Brites (1293 - 1359) Rainha de Portugal

Violante Sánchez de Castela (bastarda) c. Fernando Rodriguez de Castro (1280 - 1304) Senhor de Lemos

Pedro Fernandez de Castro (? - 1343) ------ Aldonça Soares de Valadares

PEDRO I (1320 - 67) Rei de Portugal (1357 - 67)

Inês de Castro (1325? - 55) (bastarda)

203

Cronologia dos Factos Históricos

9 Outubro 1261 — Nasce D. Dinis, neto de D. Afonso X de Castela e filho de D. Afonso III, rei de Portugal, e de D. Beatriz de Castela.

11 Fevereiro 1270 — Nasce, em Saragoça, D. Isabel de Aragão, filha de D. Pedro III, rei de Aragão, e da rainha D. Constança.

1279 — D. Dinis inicia o seu reinado de 46 anos.

11 Fevereiro 1281 — Casamento por procuração do rei D. Dinis e de D. Isabel de Aragão. Só no ano seguinte se realizam as bodas reais.

1287 (?) — Nasce D. Pedro Afonso, conde de Barcelos, filho bastardo de D. Dinis e de D. Grácia Frois.

1289 (?) — Nasce Afonso Sanches, filho bastardo de D. Dinis e de D. Aldonça Rodrigues Telha, que foi senhor de Albuquerque, em Castela.

3 Janeiro 1290 — Nasce a infanta D. Constança, filha de D. Dinis. Casou com Fernando IV de Castela. Mãe de D. Afonso XI de Castela e de D. Leonor, futura rainha de Aragão. Morre em 1313.

8 Fevereiro 1291 — Nasce D. Afonso IV, em Lisboa, filho do rei D. Dinis e da rainha D. Isabel.

1293 — Nasce em Toro D. Brites (ou D. Beatriz), futura rainha de Portugal, filha de D. Sancho IV, rei de Castela, e de D. Maria de Molina.

1304 — Nasce Diogo Lopes de Pacheco, filho de Fernando Lopo de Pacheco, conselheiro de D. Dinis e de D. Afonso IV. Morrerá já depois de 1385.

12 de Setembro 1309 — Casamento de D. Brites de Castela, de 16 anos de idade, com D. Afonso IV de Portugal, de 18 anos. Este enlace é fruto da união política firmada no Tratado de Alcanises.

13 Agosto 1311 — Nasce em Salamanca, Leão, D. Afonso XI, rei de Castela e Leão desde 1312.

1313 — Nasce D. Maria, filha de D. Afonso IV e de D. Brites.

1314 — A rainha D. Isabel solicita ao Papa autorização para erguer em Coimbra um mosteiro dedicado a Santa Clara.

1316 (?) — Nasce, filha de D. João Manuel, duque de Peñafiel, e de Constança de Aragão, D. Constança Manuel, futura segunda mulher de D. Pedro I.

1319-1324 — Guerra civil entre D. Afonso IV e o pai, D. Dinis, motivada pelas ambições do filho bastardo do rei, D. Afonso Sanches.

8 Abril 1320 — Nasce D. Pedro I em Coimbra, filho de D. Afonso IV e de D. Brites.

7 Janeiro 1325 — Morre o rei D. Dinis. D. Afonso IV, com 34 anos de idade, é proclamado rei e condena D. Afonso Sanches ao desterro.

1325 — Nasce, na Galiza, Inês de Castro, filha bastarda de Pedro Fernández de Castro, mordomo-mor do rei Afonso XI de Castela, e de D. Aldonça Soares de Valadares, nobre portuguesa.

— As cortes de Castela ratificam casamento de D. Afonso XI de Castela com D. Constança Manuel. D. Afonso XI repudia-a, por razões políticas, e, em 1337, acorda o casamento com D. Maria, filha de D. Afonso IV de Portugal.

12 Março 1328 — Em codicilo ao seu testamento, a rainha D. Isabel fortalece o domínio da sua casa monástica de Santa Clara, doando-lhe o Paço que habitava e a vinha que, apesar disso, seriam sempre aposentadoria para a Família Real.

— Nasce D. Leonor, filha de D. Afonso IV e da rainha D. Brites. Casa com Pedro IV, rei de Aragão, em 1347, mas morre de peste um ano depois.

— Casamento de D. Maria, filha de D. Afonso IV, com D. Afonso XI, rei de Castela, com dispensa do Papa João XXII, por ser D. Afonso primo direito de D. Maria.

— Casamento «por palavras de futuro» de D. Pedro com D. Branca, sobrinha da rainha D. Brites e do rei D. Fernando IV de Castela. Anos mais tarde, D. Branca será afastada da corte portuguesa por alegada incapacidade física e mental.

1329 — Morre D. Afonso Sanches, filho bastardo de D. Dinis, grande inimigo de Afonso IV.

30 Agosto 1334 — Nasce, em Burgos, D. Pedro I de Castela, proclamado rei aos 15 anos, sucedendo ao pai, Afonso XI, morto de peste, no cerco de Gibraltar, em 1350.

6 Fevereiro 1336 — Casamento por procuração, no Convento de S. Francisco de Évora, de D. Pedro com D. Constança Manuel, prima direita do rei de Aragão. Presentes os pais do noivo e, pela

noiva, Fernão Garcia e Lopo Garcia como procuradores. A coroa portuguesa receberia de dote da noiva 300 000 dobras a seu tempo.

27 Janeiro 1336 — D. Pedro IV sobe ao trono de Aragão.

4 Julho 1336 — Morre, em Estremoz, D. Isabel de Aragão, com 66 anos.

1336 — D. Maria, mulher de D. Afonso XI e filha do rei Afonso IV, tem de se refugiar em Burgos por causa dos maus tratos do marido.

Início 1339 — O sultão de Granada Abu Malik apodera-se de Gibraltar e ameaça o sul de Castela e de Portugal.

24 Agosto 1339 — Casamento por «palavras de presente» de D. Pedro com D. Constança Manuel, em Lisboa.

30 Outubro 1340 — Batalha do Salado, onde portugueses e caste- lhanos se unem para derrotar os muçulmanos.

1341 — Nasce o infante D. Luís, filho de D. Pedro e de D. Constança Manuel.

1342 — Nasce a infanta D. Maria, filha de D. Pedro e de D. Constança Manuel.

1344 — Tremor de terra em Lisboa. Caiu parte da Sé.

— O rei D. Afonso IV expulsa D. Inês de Castro da corte por- tuguesa pelo seu envolvimento com D. Pedro. D. Inês regressa a Albuquerque na Estremadura castelhana.

31 Outubro 1345 — Nasce em Lisboa o infante D. Fernando, futuro rei de Portugal.

1345 — Morte de D. Constança Manuel, em Santarém, pouco tem- po após o parto de D. Fernando.

1346 (?) — Nasce D. Afonso, filho de D. Inês de Castro e de D. Pedro que morre prematuramente.

1346 — D. Inês de Castro regressa de Albuquerque. Instala-se em Moledo, próximo de Atouguia da Baleia e do Paço da Serra d'El-Rei, perto de Óbidos. Vive com D. Pedro.

29 Setembro 1348, Dia de S. Miguel — Data «oficial» do início do surto da Peste Negra em Portugal.

1349 — Nasce D. João, filho de D. Inês de Castro e do infante D. Pedro. Será pretendente derrotado ao trono após a morte de D. Fernando.

1350 (?) — Nasce o infante D. Dinis, filho de D. Inês de Castro e de D. Pedro.

1350 — Morre D. Afonso XI, em Castela, e com 16 anos de idade sucede-lhe o seu filho D. Pedro, neto de D. Afonso IV. D. Afonso XI deixa filhos bastardos da amante Leonor de Guzmán, entre eles Henrique de Trastâmara.

1351 — Nasce D. Beatriz, filha de D. Inês e de D. Pedro.

12 Junho 1352 — O infante D. Pedro doa a D. Inês o padroado da Igreja de Santo André de Canidelo, em Vila Nova de Gaia.

1352 — D. Pedro e D. Inês abandonam as terras da Lourinhã e o «Paço» da Serra D'El-Rei. Vão para Santo André de Canidelo.

1353 — D. Pedro procura legitimar o seu casamento com D. Inês.

— D. João Afonso de Albuquerque e D. Álvaro Pérez de Castro obrigados a refugiarem-se em Portugal por D. Pedro de Castela.

1354 — D. Pedro de Castela consegue o envenenamento de D. João Afonso e os irmãos Trastâmaras fogem para França.

— D. Inês fixa residência no Paço da Rainha, do Convento de Santa Clara em Coimbra.

— Morre, nos Paços de Lalim, D. Pedro, conde de Barcelos, filho bastardo de D. Dinis.

7 Janeiro 1355 — Morte de Inês de Castro, em Coimbra, no Paço da Rainha, degolada sob a ordem do rei por alta traição.

Início 1355 — D. Pedro une-se aos irmãos Castro e inicia a guerra civil contra o pai.

14 Agosto 1355 — D. Afonso IV, por interferência da rainha D. Brites, assina, em Guimarães, a paz com o filho e jura não castigá-lo e aos seus pela guerra. D. Pedro submete-se ao pai e jura perdoar os assassinos de Inês.

11 Abril 1357 — Teresa «Galega» dá um filho bastardo a D. Pedro: D. João, futuro Mestre de Aviz.

28 Maio 1357 — Morte de D. Afonso IV. D. Pedro caçava nas margens do rio Canha. D. Pedro sobe ao trono.

25 Outubro 1359 — Morre, na Alcáçova de Lisboa, a rainha D. Brites, mulher de D. Afonso IV e mãe de D. Pedro I.

Primavera 1360 — Tratado de extradição entre D. Pedro de Castela e o rei de Portugal para troca de presos políticos, incluindo os instigadores da morte de D. Inês. Vingança sobre Álvaro Gonçalves e Pêro Coelho, em Santarém. Diogo Lopes Pacheco consegue fugir para Avinhão.

Junho 1360 — D. Pedro anuncia o seu casamento com D. Inês, supostamente realizado em segredo antes da morte desta. Este facto nunca será confirmado, nem reconhecido.

2 Abril 1362 — Trasladação dos restos mortais de D. Inês de Santa Clara, em Coimbra, para o Mosteiro de Alcobaça.

18 Janeiro 1367 — Morre o rei D. Pedro I, em Estremoz, após 10 anos de um reinado pacífico.

13 Março 1369 — Morte de D. Pedro I, de Castela, em Montiel, França, assassinado pelo meio-irmão Henrique de Trastâmara que assumirá o trono de Castela.

1387 — O Mestre de Aviz, filho bastardo de D. Pedro e de Teresa «Galega», sobe ao trono e inicia a grandiosa dinastia de Aviz.

Agradecimentos

Em primeiro lugar, agradeço ao Pedro Pina, ao Jorge Pereira de Sampaio e ao José Miguel Júdice, que há vários anos me tentavam convencer a escrever a história de Inês de Castro.

O meu profundo e grato obrigado ao Grupo Lágrimas e a toda a equipa da Quinta das Lágrimas que sempre me recebeu como se estivesse em casa de família, dando-me todo apoio logístico e moral para a realização do meu trabalho.

Ao Pedro Canais, pela ajuda na revisão e texto introdutório. À historiadora Dr.ª Lígia Gambini, pela sua preciosa revisão histórica, bem como ao Dr. Artur Côrte-Real, coordenador do Mosteiro de Santa Clara-a-Velha, e ainda à Dr.ª Maria Conceição Bueso.

À Cristina Ovídio, pelo excelente e incansável trabalho editorial, à Patricia Reis, pela eterna disponiblidade, e ao António Belchior, pela sua maravilhosa capa.

A toda a equipa do Clube de Autor.